投资自己的梦想

孙正义
的人生哲学

李 洋◎著

新世界出版社
NEW WORLD PRESS

图书在版编目（CIP）数据

投资自己的梦想：孙正义的人生哲学／李洋著．—北京：
新世界出版社，2014.12（2015.5重印）

ISBN 978－7－5104－5225－3

Ⅰ．①投… Ⅱ．①李… Ⅲ．①人生哲学－通俗读物
Ⅳ．①B821－49

中国版本图书馆CIP数据核字（2014）第276597号

投资自己的梦想：孙正义的人生哲学

作　　者：李　洋
责任编辑：张保文　周　珊
责任印制：李一鸣　黄厚清
出版发行：新世界出版社
社　　址：北京市西城区百万庄大街24号（100037）
发行部：(010) 6899 5968　　(010) 6899 8705（传真）
总编室：(010) 6899 5424　　(010) 6832 6679（传真）
http://www.nwp.cn
http://www.newworld-press.com
版权部：+86 10 6899 6306
版权部电子信箱：frank@nwp.com.cn
印刷：北京中印联印务有限公司
经销：新华书店
开本：710×1000　　1/16
字数：250千字　　**印张**：17.25
版次：2015年1月第1版　2015年5月第6次印刷
书号：ISBN 978－7－5104－5225－3
定价：36.80元

前言
Preface

愿和你们一道成功

2014年11月19日，为期3天的首届世界互联网大会在浙江乌镇开幕。马云、孙正义、马化腾、李彦宏、刘强东等一众中外互联网大佬齐聚一堂，与来自100多个国家的上千名财经领袖共议全球化背景下的互联网发展和未来趋势。

孙正义在开幕式上发表了个人演讲，演讲中的两个关键词就是云技术、物联网。在孙正义看来，虽然今天每个人一般只有手机、PC两个移动设备，但是到2020年的时候，每个人被连接的设备将达到1000个。

在演讲中，孙正义给予创业的年轻人极大的鼓励，并与他们分享了自己30余年的创业历程和投资心得。看着台上侃侃而谈的孙正义，我不禁想起他创办软银屡败屡战的向上荆棘路。

这些年，我见过不少创业者，很多创业者都在各种各样的问题中打转，难以自拔。

刚创业的人可能在为资金、设备发愁；拿到天使投资的人可能还在摸索当中，他们也许只看到大趋势，具体的切入点并不清楚；哪怕是手握明星产品的创业者，他们也不得不面临这样的问题：产品在获得短暂高速增长后，迅速跌入乏力期。

看上去这是单个创业者的问题，其实他们的困境是有共性的。

除了创业者自己摸着石头过河，向成功的创业者，尤其是向"九败一胜"类的创业者学习，是避免走弯路的重要方式。"久病成良医"，创业路越崎岖，创业者的经验就越丰富。

本书的主角——孙正义，就是一个很好的学习对象，因为他在创立软银的过程中很有些"多灾多难"的味道。

1957年8月11日，孙正义出生于日本佐贺县鸟栖市。因为身上的韩裔血统，孙正义遭到当地人的排挤。后来他想贷款创业时，也因为"出身不正"被银行拒绝。

1969年，年仅12岁的孙正义首次进行"商业创业"——帮助父亲盘活濒临倒闭的咖啡店。

在加州大学伯克利分校就读期间，孙正义建立了自己的第一家公司。在没有资金、设备、技术的情况下，孙正义成功开发了世界上第一款袖珍语言翻译机。

1981年，学成归国的孙正义创建了Soft Bank（软银）。就在软银逐渐走上正轨的时候，孙正义被告知罹患重病，生命不超过5年。

10多年打拼，孙正义终于在1994年让软银成功上市。之后孙正义发起了一场疯狂的收购活动，短短几年内，孙正义在全球投资了超过450家互联网公司。这看上去很光鲜，但埋下了巨大的隐患。

1999年，互联网经济开始逐渐失控。纳斯达克指数如实地再现了泡沫破灭的过程：从2000年3月10日的5050，到3月15日的4580，短短6天时间内，纳斯达克就损失了将近9个百分点。

萧条过后，满地都是破产的互联网公司"尸体"，孙正义投资的公司也损失惨重，软银股价一度下跌到只有原来的1％，孙正义也是负债累累。创业20载，孙正义又回到了一无所有的起点。

如何再出发?

在同行纷纷跳水离开互联网行业的时候,孙正义的选择是继续待在"坑里"。

峰回路转。伴随互联网行业再度起飞,经过多年蛰伏的孙正义终于在2014年9月19日登顶日本,实现了儿时"成为全日本第一的企业家"的梦想。

半生浮沉,孙正义在创业道路上跌倒了无数次,连他自己都说:"我所做的事情绝大部分都失败了,包括投资的公司。"他就像一本"犯错给你看"的活教材,用他遭遇的各种困难向后来者讲述创业路上的"暗箭明枪"。所以,本书不是英雄的赞歌。

孙正义是个乐于帮助年轻创业者的人,不管是在推特(Twitter)上还是软银学院的公开直播会上,孙正义从不会私藏自己的"创业秘籍"。面对中国创业者时,他说:"中国给我提供了最多的机遇,我希望能够帮助那些小的、年轻的公司,只要你们有热情、有激情、有梦想,我愿意支持你们。"

2010年,在东京汐留软银大厦的25层,我有幸参加了"软银新30年愿景发布会"。在长达2小时40分钟的公开演讲中,孙正义首次回顾了过去30年,展望了未来300年,将自己30余年的经营哲学分享出来。

四个感悟

孙正义向听者讲述了4个感悟:

1. 穷人的孩子未来也不一定打败仗

出身不好,虽然会"输在起跑线"上,但是也能锻造一个人的抗压能力。在逆境中长大的孩子往往会变成适应性强、坚持不懈且无所畏惧的人。

讲到与奶奶的事的时候,孙正义说:"是奶奶一手把我养大的。奶奶教会了我做事不为名与利,做人常怀感恩之心。"

2. 刚开始时谁都没有方向

"我在离家很近的福冈县大野城市创立了软银公司,当时公司位于一个连空调都没有的陈旧建筑的二层。"孙正义表示,尽管自己在入行前进行了大量的调查,但其实刚开始时依然很迷茫。没有方向不要紧,关键是不能停下来。

3. 最重要的25字经营精髓

孙正义表示他的投资管理真经来自中国的《孙子兵法》。

"我在病榻上养病的时候看了《孙子兵法》,并将它运用到软银的事务中。"

道	天	地	将	法	理	念
顶	情	略	七	斗	愿	景
一	流	攻	守	群	战	略
智	信	仁	勇	严	品	德
风	林	火	山	海	战	术

这就是软银人人熟知的"孙孙兵法"。

孙正义从《孙子兵法》中得到了经商智慧,并提炼出来,形成了自己独特的经商方法。除了最后的"海"战术,其余都来自《孙子兵法》。按照重要程度,孙正义将这25个字排成了方阵,并在每一排后面加以简略说明。

4. 软银新30年愿景

软银将通过信息革命,致力于全人类的幸福;

力争成为全球前十的企业;

软银集团旗下资产超过200万亿日元等。

孙正义认为如今的他已经不再被金钱、名利等外物羁绊,只想为大多数人做一些事情。

"像奶奶一样,为了他人的幸福而做事。"

两个多小时的演讲,在不知不觉中结束。孙正义像个布道者,输出了自己的价值观和对未来的思考。

四种思维

如果说稻盛和夫是哲学式经营，孙正义则更侧重新思维经营，在多年的观察研究后，我将其概括成4种思维。

1. 爆炸性思维

孙正义认为，以往的工业文明，在整合产品加工链的时候，也在一定程度上影响了人的思维模式。"原材料→粗加工→半成品→深加工→成品"这样的链式生产线，导致人们在思考问题时也会采用同样的方式。为了达到一定的目标，人们会选择"因为→所以"的单向思考模式。

但是在信息爆炸的当下，这种思维模式明显失去了优势。因为信息太过丰富，实施过程中遇到的可能影响结果的变量太多。继续做"单细胞生物"的下场就是连自己为什么失败都搞不清楚。

转换思维模式是跟上时代变化的必然选择。所谓爆炸性思维，就是以自我大脑为中心，向外辐射链接各个信息点。不论是在起步阶段还是在实施阶段，都能做到对外界万事万物了然于胸。最后的选择自然是综合各种变量后的"最优解"。

2. 银河系思维

近几年来，软银不再局限于互联网行业，投资地域也不再局限于美国、日本、中国等国家。业务拓展至新能源、影视、智能机器人等行业，触角伸向印度、东南亚、欧洲等地域。一个企业全面铺开，要么是盲目自信，要么是有深厚的积淀。

在互联网行业深耕细作了30多年，孙正义从漫天繁星中得到启示：不能只有一颗恒星，而是要组成银河系。在软银的银河系中，软银、雅虎、阿里巴巴等大企业就是最亮的几颗恒星，其他企业则环绕着它们。既然要构建银河系，就必须处理好每颗星之间"离心力""吸引力"的问题。离得太远，失去了互补优势；离得太近，又会产生生理排斥。这其中的"度"要拿捏到位。

3. 外流河思维

所谓外流河思维，就是要做连通大海的水系，不做堰塞湖；要做汇集涓流的大河，不做没有源头的死水。

企业开放是当下的热点。孙正义理解的开放不单单意味着对外开放，企业更要有"内聚"的特质。不管是客户、资源、同行还是技术、资本、人才，软银要做的永远都是把最好的精华吸引到身边。

4. 品种进化思维

不断迭代进化，才能找到最优秀的种子。一家想要存活300年的"老店"，不仅需要渡过眼下的困境，还需要面对未来各种各样的挑战，而很多挑战是无法预料的，唯一的办法就是留下"学习""进化"的DNA。

就像达尔文的进化论一样，一个成功的企业也要有随着时代变革，改变自身的能力与勇气。一个世代的改变叫作学习，譬如孙正义领导软银期间做出的各种转变；而跨世代之间的变化叫作进化，譬如下一届领导者改变曾经的某些政策。只有保持学习、进化的基因，才能不被历史所拘束，根据时代做出最正确的决策。

回首这些年来对孙正义的关注，我从他的身上学到了不少创业精髓。如今，孙正义也因为马云的关系，逐渐走入国人视野。对所有正在创业、即将创业的人，他可能是学习的对象、未来的对手、合作的伙伴，但一切还需从研究他开始。

目　录

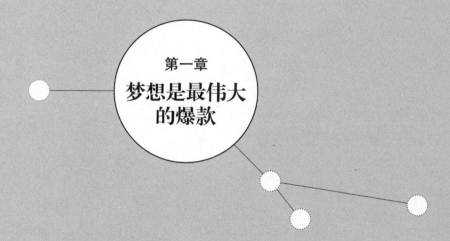

第一章

梦想是最伟大的爆款

虽然这并不是百分百能够成功的，但只要我有一个坚定的信念，强有力的激情，我确信我会朝着这个方向努力。这就像在奥运会上梦想拿金牌一样，你选择了一个能够让你真正兴奋的东西，你选择任何一个领域，立志在其中成为第一。所以你只要选择一个能够让你构筑人生梦想的事业，也许你的成功率只有10%，但是只要你有一个能够让你感到兴奋的梦想，你的人生就不会没有意义。

精彩人生就是要深度尝试

我们什么都试试看，所以我们的业务模式是相当复杂的。我们有手机有宽带，同时还有端口，还有雅虎，我们在日本搜索业务是做得最大的，还有体育、新闻、音乐、网络、MSN、信息等。

——孙正义

75岁的时候可以干什么？是在和病魔做斗争，还是觉得"人生已经没有什么意思"而苟延时日，得过且过？"橙王"褚时健告诉我们：还可以种橙子。曾经的烟草大王，在71岁时身陷囹圄，几年后75岁的他毅然决然地开始了二次创业，在云南包垦2000亩荒山，10年耕耘种出励志褚橙，成为一代橙王。褚橙的掌门人褚时健让原本不起眼的橙子成了一种文化、一种精神。元初食品的陈启明先生这样评价他和褚橙："褚时健是故事，褚橙是鲜活的人生，也是一个八十高龄的老人对生命的思考，更是一个大起大落的男人奉献给时间的产物。"而这看上去酷炫无比的人生，背后正是褚老敢于不断尝试的精神。

西班牙作家塞万提斯笔下的堂吉诃德是一个不朽的典型人物：这个瘦削的、面带愁容的小贵族，由于爱读骑士文学，入了迷，竟然骑上一匹瘦弱的老马，手拿一柄生了锈的长矛，戴着破了洞的头盔，要去游侠，锄强扶弱，打抱不平。他雇了附近的农民桑丘·潘沙做侍从，又把邻村一个挤奶姑娘想象为他的女主人，为她取名杜尔西内亚。他以一个未受正式封号的骑士身份出去找寻冒险事业，沉浸在漫无边际的幻想中，一路闯了许多祸，吃了许多亏，闹了许多笑话。最后辗转回到家乡时，他一病不起。

著名作家屠格涅夫在他的一篇论堂吉诃德与哈姆雷特的论文中说：

"世界上的人只有两种，不是堂吉诃德型的，就是哈姆雷特型，堂吉诃德型的人充满理想主义地向前冲，而哈姆雷特型的人则老实地原地踏步、畏畏缩缩。"

很显然，原地踏步不是孙正义的个性，否则他不可能有今天的成就。在他看来，人生就是要往前冲，勇于做各种各样的尝试。只有试过才知道行不行，孙正义在面对问题时，口头禅就是："我试试看。"

1974年2月，孙正义只身一人前往美国加州，开启了自己的追梦之旅，而在美国的4年时间可以说是孙正义的"试错时间"。身在异国他乡的孙正义，没有人能够帮他，唯一走下去的办法就是不断尝试。

在刚到美国的日子里，孙正义过得并不快乐，因为他听不懂英语，而自己的"日式英语"也同样没有听众。不过，语言从来就不是沟通的最大障碍。面对语言不通的困境，孙正义没有选择寻找"组织"，认识一些在美国的日本人，而是逼迫自己入乡随俗，生活中坚决不说一句日语。

很快，孙正义甩掉了"蹩脚的英语使用者"这一标签，能够流利地进行英文对话、交流。如今，孙正义的英语口语尽管还带着不明显的日本口音，但在日本国内已属于英语说得极好的那一类人。

其实孙正义之所以热衷于尝试，除了受到家人、老师、文学作品的影响外，生物课上的一次白鼠实验也让他受到极大的震动：一定不要放弃，要勇于尝试。

在那堂生物实验课上，老师做了这样一个实验：

把一只小白鼠放到一个水池中心。这个水池面积较大，但凭小白鼠的能力是可以游到岸边的。小白鼠落水后，并没有马上游动，而是转着圈发出"吱吱"的叫声。小白鼠是在测定方位，它的鼠须就是一个精确的方位探测器。它的叫声传到水池边沿，声波又反射回去，被鼠须探测到。小白鼠借此判定水池的大小、自己所在的位置，以及自己到水池边沿的距离。它尖叫着转了几圈以后，不慌不忙地朝选定的方向游去，很快就游到岸边。

实验进行到这一步，尚未结束，老师又将另一只小白鼠放到水池中心，不同的是，这只小白鼠的鼠须已经被剪掉。小白鼠同样在水中转着圈子，也发出"吱吱"的叫声，不过由于作为探测器的鼠须不复存在，它探测不到反射回来的声波，无法判断自己能否游出去，只能原地转圈。几分钟后，筋疲力尽的小白鼠沉至水底，淹死了。

关于第二只小白鼠的死亡，生物老师这样解释：鼠须被剪，小白鼠无法准确测定方位，看不到其实很近的水池边沿，以为自己无论如何都游不出去，因此，它放弃了一切努力，自行结束了生命。

生物老师最后得出结论：在生命彻底无望时，动物往往强行结束自己的生命，这叫"意念自杀"。被剪掉鼠须的小白鼠丧生于水池，但不是被水淹死的，而是被那"无论如何都游不出去"意念淹死的。

在之后的岁月里，孙正义记住了这个故事：待在原地无异于等死，唯一的办法就是不断尝试，即使看上去是那样的"不可能"，但这个世界最不缺少的就是奇迹。

不过，尝试从来就不是浅尝辄止。

孙正义认为，浅尝与没有尝试一样，不可能取得任何程度的突破，即使是再薄的砂纸，也需要深度尝试才能戳破。所谓"深度尝试"，是指每一次尝试都要尽到自己最大的努力，不被外界因素诱惑。孙正义在加州大学伯克利分校读书时，曾经上过一门心理学课程，在课堂上，孙正义学到了如何在人脑中排除杂念，强化深度尝试意识的方法：

1. 准备一个羽毛球拍，注视它，集中所有的注意力在羽毛球拍上，大脑里也只想着这个球拍。集中的时间越久越好，可以渐渐增加这样做的训练时间；另一种训练方法是闭上眼睛，集中所有的注意力在脑子里想象球拍的样子，渐渐增加训练时间。

2. 准备一个节拍器，集中所有注意力在节拍器的节奏上，让它充满大脑，当你的大脑走神出现别的东西时，让它飘走，就像一朵云彩一样。

3. 把注意力集中在呼吸上。感受空气从肺部经过的感觉，用鼻子吸气时，想象着集中注意的力量越来越大，用嘴呼气时，想象身体里所有无关的念头都跑了出去。

经过深度尝试训练的人，很容易在短时间内让自己注意力集中，专注做一件事。

人生的可能性是无限的，不断试错，也许下一条路就是康庄大道；但人的精力是有限的，我们在每一次尝试的时候都要做到足够有深度，否则既浪费了精力，又不可能取得任何实质的进展，永远是在"调整方向中"。

【孙正义说】

待在原地无异于等死。

唯一的办法就是不断尝试，即使看上去是那样的"不可能"。

顺境逆境都怀一颗感恩心

我能有今天，都是因为大家的馈赠，奶奶教会了我要常怀感恩的心。很多人都说软银是非常好的投资公司，软银运气非常好，因为它对阿里巴巴、对雅虎都做了成功的投资，的确如此，我们非常幸运，软银非常幸运。

——孙正义

若问谁是影响孙正义最深的人，其实并不是他的父母，而是他的奶奶——李元照。原因很简单，孙正义的父母为了养家糊口不得不早出晚归地工作，根本没有时间陪在孙正义身旁，孙正义自己也说："我完全是由奶奶一手养大的。"

因为长时间跟在奶奶身边，孙正义和奶奶之间的感情非常深厚。奶奶也通过自己的言传身教，在无形中给孙正义留下了抹不去的烙印，最明显的表现就是孙正义的"要常怀感恩之心"的口头禅。

一般的感恩都使我们的注意力集中在上天庇佑我们的好运道上。当我们身处顺境的时候，我们很容易发出感恩的言辞，然而，真正的感恩并不仅仅限于在顺境中拥有一颗感恩的心，而是在逆境中也同样懂得感恩。孙正义的感恩之心就得自小时候的"要饭"经历。

回忆起童年岁月，孙正义觉得最快乐的事情就是跟奶奶一起出去"要饭"。每到吃完晚饭后，奶奶都会说一句"该出去了，正义"，这时孙正义会放下手中的事情，跟着奶奶出去搜集每家每户的"残羹冷炙"。当然，这并不是家里人吃剩菜剩饭，而是要喂养家中的家禽牲畜。

出去"要饭"其实并不是什么快乐的事情，不仅要受街坊邻居的白眼，还要忍受食物散发的馊臭气味。因为长年累月装载潲水，奶奶拉的车子上沾满了滑腻腻的油污。可年少的孙正义并不在乎这些，当他坐在车子里，奶奶拉着他的时候，他总是很快乐。每当下坡的时候，奶奶总会说一句"正义，坐稳了"，孙正义便毫不犹豫地把脸贴着车子，紧紧地挂在拖车上。

就这样，奶奶和装满潲水的拖车给孙正义留下了深刻的童年印象，"拖车上总是黏糊糊的，让人很恶心。奶奶一路上拉着潲水很辛苦，我也很辛苦"。奶奶在路上总会不停地和孙正义聊天，说一些过去的故事，总是说现在的日子才是好日子，以前才是真的苦。其实孙正义的奶奶出生在韩国江原道的大户人家，只是因为她的父亲替朋友做担保破产，她才被迫只身前往日本。时至今日，孙正义一直记得奶奶的口头禅："我们是托人家的福，要有一颗感恩的心。"

其实，顺境中人们要学会感恩，在逆境中更要感恩。

雪峰、岩头、钦山三位禅师结伴而行，有一天经过一条河流，正商量到哪里去化缘、讲法，突然看到河中有一片碧绿新鲜的菜叶，缓缓从上游漂来。

三个人议论开了。

钦山："你们看！河中有菜叶漂来，可见上游有人居住，我们向上游走，就会有人家了。"

岩头："这么好的一片菜叶，竟让它漂走，实在可惜！"

雪峰："如此不惜福的村民，不值得教化，我们还是到别的村庄去吧！"

三人谈得正热闹，一个人匆匆地从上游那边跑来，问："几位师父，你们看到水中的一片菜叶了吗？我刚刚洗菜时，不小心把它洗掉了，我一定要找到它，不然实在太可惜了。"

雪峰等三人听后，哈哈大笑，不约而同地说："我们就到他家去讲法吧！"

拥有感恩之心的人，即使仰望夜空，也会有一种感动。正如康德所说："在晴朗之夜仰望天空，就会获得一种快乐，这种快乐只有高尚的心灵才能体会出来。"

感恩是一种认同，是对世间万物、一花一草的深切认同，更是一种回报。人是需要懂得知恩图报的，感恩的第一步便是知恩，而知恩就要图报。

直到今天，孙正义依然不忘感恩自己的小学老师、中学老师，即使成为亿万富翁，也没有一丝跋扈之情。"阿部逸郎久老师，好久没来看您，这是给您带的礼物。"阿部逸郎久就是孙正义在久留米大学附属高中时的老师。每每提到曾经的学生，阿部老师还是笑得合不拢嘴，因为他没有想到这位大名鼎鼎的学生还时时记挂着自己。

2010年6月25日，软银在东京千代田区举行"新30年愿景发布会"。孙正义将奶奶请到现场，并感谢奶奶多年来的照顾与陪伴。在长达两个多小时的演讲中，孙正义回顾了自己童年时和奶奶的点点滴滴，说起奶奶和他一起回韩国大邱故乡的经历。最后，孙正义眼含热泪，感谢奶奶的爱，感谢一路陪伴他的人。

【孙正义说】

我们是托人家的福，要有一颗感恩的心。

我是奶奶一手养大的。

人生的黄金期如此短暂，即刻开始征程

　　我在高一暑假的时候参加了学校的夏令营活动。在加利福尼亚待了一个月后，我决定回去就退学去美国。因为美国对于当时的我是那样富有冲击力，宽阔的高速公路、密密麻麻的汽车……而我的人生理想就是要做一番大事业，这是我在很小的时候就立下的志向。为了确定未来到底该做些什么，该怎样度过，我必须去美国，因为美国是这个星球上最发达的国家，那里有最前沿的科技、思想。但人生是如此的短暂，我根本没有时间花费在学习数学、物理、化学这些科目上，我要赶紧走出去看一看，然后开始我的人生征程。

——孙正义

　　"人的一生该怎样度过"，这是一个古老而又常新的话题。

　　你可以选择平平淡淡过一生，也可以选择策马奔腾走天涯。孙正义小时候也曾有过"小"梦想，譬如做个小学老师，但是随着年纪渐长，他还是觉得"人生不应该满足于低目标"，"成为全日本第一的企业家"这一梦想应运而生。既然一无所有，为什么不拼尽全力呢，哪怕最终只拥有一刹那的芳华。

　　在荒凉的戈壁滩上，有一种小花，花呈四瓣，每瓣自成一色：红、白、黄、蓝。通常，它要花费5年的时间来扎根，一点点地积蓄养分，直到第六年春才在地面吐绿绽翠，开出一朵小小的四色鲜花，尤其让人们叹惋的是，这种极难长成的小花，花期并不长，仅仅两天工夫，它便随母株一起香消玉殒。

生命无论短如小花，还是长如人类，都应当珍惜这仅有一次的生存权利。"像太阳一样尽情燃烧自己吧，为了这一次"，孙正义说。

生命当如夏花。空想不做，不是孙正义的风格，十几岁的时候他就迫不及待地开始了人生征程。

与一般人追逐梦想的方式不同，孙正义的决定要奇葩得多。"我要退学，去美国！这是我在夏令营结束时就打定的主意。"面对父母，孙正义吐露了想法。对此，父母亲都震惊了，家里人开始详细询问孙正义，难道是在美国度夏令营时遇到了什么事情？要知道，孙正义半年前费了九牛二虎之力才考进久留米大学附属中学。

在听到孙正义"人生短暂，要立刻追寻梦想"的解释后，大家都把孙正义的话当成是天真少年的冲动话语。当时父亲孙三宪因为十二指肠破裂正在住院，家里忙得一团糟，母亲和其他家人都责怪孙正义不懂事，只知道添乱。但是病榻上的父亲采取了截然不同的做法——支持孙正义前往美国追梦。

因为孙三宪从儿子身上看到了自己的影子，自己在年轻的时候不也是这样豪气干云吗？父亲不顾全家人的反对，在病床上支持儿子的决定，哪怕家中经济已经捉襟见肘。母亲不停哭泣请求孙正义不要前往美国，因为在传统的妈妈眼中，离开日本就像背叛了自己的国家。家里其他人也竭尽全力劝阻孙正义，有的亲戚甚至讥讽他是不是成绩太差，不得不选择退学。不管怎样，最后，父亲答应他去学校办理退学手续，唯一的要求就是"一定不能和当地女孩子结婚，结婚一定要找个东方女孩；每年尽量回家一次"。

在家中待了几个月后，孙正义办好了各种手续。1974年2月的福冈机场，在全家人的目送下，年仅16岁的孙正义一个人背起行囊，乘坐飞机再次前往美国。回首自己当年的疯狂举动，孙正义依

然表示毫不后悔："我一生中经历过很多事情，但是能称得上转折点的寥寥无几，退学前往美国无疑是第一个人生转折点。"

到达美国后，孙正义立即开始了争分夺秒的学习生涯。他没日没夜地学习英语，"上厕所、吃饭时都拿着单词书"，在短时间内完成ELS英语学校的课程。进入塞拉蒙提公立高中后，孙正义给自己的要求是："坚决不能输给二宫尊德。"二宫尊德是日本江户后期著名的政治家，一生致力于农村实践改革，他以珍惜时间、热爱学习著称，基本上每所日本小学都有一尊二宫尊德的雕塑。

在这样的自我激励下，孙正义无时无刻不在学习，吃饭时捧着书，洗澡时背着单词，走路时想课堂上的问题……孙正义每天的睡眠只有3个多小时，最多不会超过5个小时。最终，这种歇斯底里式的学习让孙正义在3个星期内读完了所有的高中课程，成为这所学校"毕业速度最快的学生"。

1977年，孙正通过转学考试进入加州大学伯克利分校的经济系。进入全美最著名的大学后，孙正义并没有停下急促的脚步，而是一如既往地疯狂学习。"每天，我只允许自己有5分钟的时间不用于学习"，孙正义如是说。

创办人人网、饭否网、美团网的王兴，同样是一个"急于求成"的创业者。25岁之前的王兴，有典型的三好学生式经历：从福建龙岩一中被保送上清华大学，毕业获得奖学金前往美国读书。2004年年初，感到"读书浪费时间"的他，中断了在美国特拉华大学电子与计算机工程系的博士学业，从美国回国创业。"当时除了想法和勇气外，一无所有，我读完本科就去了美国，除了同学没什么社会关系，回来后找到一个大学同学、一个高中同学，3个人在黑暗中摸索着开干了。"王兴回忆说。

2003年的圣诞节，王兴带着明确的创业计划登机回国。看到

SNS（Social Networking Service）网站FriendStar在美国的成功和这种模式在国内的空白，他前后创立了好几个SNS网站，其中就包括后来成功的人人网、饭否网、美团网。

为什么他们有着这么强的紧迫感？孙正义那句著名的"Life is short"足以说明一切。

孙正义在上初中的时候开始思考自己的一生该如何度过，远大的理想促使他最终养成了高效利用时间的习惯。"我不能浪费时间，生命只有一次。如果不想普普通通地过完一生，觉得自己属于整个世界，就要做些什么。"每当人们问起这个问题，孙正义总会用他带有日本口音的"Life is short"作答。

善用宝贵的时间，是每个成功领袖的共同特质。美国商业精英鲍伯·费佛在他的每个工作日里，做的第一件事情就是将当天要做的事分成3类：

第一类是所有能够带来新生意、增加营业额的工作；

第二类是为了维持现有的状况，或使现有状态继续存在下去的一切工作；

第三类则包括所有必须去做，但对企业和利润没有太多价值的工作。

在没有完成第一类工作之前，鲍伯·费佛绝不会开始第二类工作；而在没有全部完成第二类工作之前，他绝对不会着手进行第三类工作。

"我一定要在中午之前将第一类工作全部结束"，鲍伯给自己规定，因为上午是他认为自己最清醒、最有建设性思考的时间。

孙正义也会给自己设立每天的工作日程。不仅如此，为了更清晰自己的理想，避免不必要的时间浪费，孙正义在19岁时为自己制订了"50年人生计划"，依照现在的情况来看，孙正义把这份计划执行得相当出色。

20岁的时候我会向行业宣告我的存在；

30岁的时候至少要赚1000亿日元，完成资本的原始积累；

40岁的时候为了干成一番大事业，来一场决一胜负的死战；

50岁的时候管理好自己的集团，管理资金要在1兆亿日元以上；

60岁时平稳地将管理权过渡给下一任领导者。

【孙正义说】

我一生中经历过很多事情，但是能称得上转折点的寥寥无几，退学前往美国无疑是第一个人生转折点。

像太阳一样尽情燃烧自己吧。

只做有温度的生意

做生意不是向伙伴大呼小叫、发号施令，而是双方拥有共同的目标，一起向前走。

——孙正义

孙正义的至交好友、生意伙伴——马云曾说："商场如战场，但商场不是战场。"

马云这句话的意思就是：商人逐利而动无可厚非，但在商场中还有比金钱更值钱的东西——千金难买的情义。

"商人无祖国""商人重利，无情无义"等负面思想曾经深入人心，深受儒家汉文化影响的日本人，也曾抱有类似的偏见。孙正义与马云，这两位商海中的老对手、老搭档反过来看这个问题：朋友比钱重要得多，伙伴成功了，自己才能成功。

曾经，马云的阿里巴巴与杨致远的雅虎互相支撑、互相依赖。但是在2008年，雅虎香港进军内地广告业，这意味着与阿里巴巴控股的雅虎中国形成对抗，马云心生不满。

2009年，雅虎迎来新任CEO卡罗尔·巴茨。卡罗尔·巴茨上任后，雅虎与马云之间的矛盾日益加深，不久，雅虎毫无预警地出售了持有的1%的股权，雅虎与阿里巴巴之间的矛盾公开。

孙正义作为雅虎、阿里巴巴两家企业的投资人、股东、独立董事，以及马云和杨致远的好友，也感到左右为难，就像看着自己的两个孩子打架一样，看着雅虎和阿里巴巴走向纷争。是袖手旁观还是选边站队？此时孙正义的选择至关重要，他不仅是雅虎日本的真正掌权者，而且，他在2005年时减持淘宝股份套得资金后增持阿里巴巴，他当时还是阿里巴巴的第二大股东。所以，孙正义是决定马云是否可以翻身的关键人物。

在外人眼中，孙正义最好的选择无疑是保持中立，做个和事佬。"斗必输，和必赢"的生意经，孙正义自然是熟稔的。但孙正义做出了一个"意料之外，情理之中"的举动：转让雅虎法国、雅虎德国、雅虎英国、雅虎韩国的股权给雅虎公司，套现减持雅虎股票，主动让出3.5亿美元的股份，支持马云。

2011年7月29日，阿里巴巴集团、雅虎和软银就支付宝股权转让达成协议。2012年5月21日，阿里巴巴集团决定用63亿美元现金和不超过8亿美元的新增阿里集团优先股，回购雅虎持有的阿里巴巴集团20%股权。在孙正义的帮助下，马云和他的阿里巴巴平稳渡过了生涯中最大的危机，马云得以翻身。

"意料之外"，是因为人们想不到孙正义会选择偏袒一方，用

"左手打右手"的方式结束这场纷争；"情理之中"是因为熟悉孙正义的人都知道他是个重情重义的人，面对好友马云掌权的阿里巴巴和卡罗尔·巴茨掌权的雅虎，选择阿里巴巴是"情理之中"的决定。

事后，很多人依然表示难以理解孙正义的决定。面对他人的疑问，孙正义平平淡淡地说："我只是在帮一个朋友。"

或许读完下面这个经常在软银能听到的故事，更能理解个中道理：

有一只乌鸦很瞧不起自己的同伴，它认为自己应该跟美丽的孔雀在一起，不应该与一群黑压压的同伴在一起。它四处收集孔雀的羽毛，插在自己乌黑的身上，将自己打扮得五彩缤纷，看起来真跟孔雀一样。它离开乌鸦的队伍，混进孔雀之中，结果孔雀们一眼就看出了这个新伙伴的伪装，它们拔去了这只乌鸦的孔雀毛，将它赶出了孔雀的队伍。这只乌鸦没能成为孔雀，也再无法回到鸦群之中，它成了孤零零的一个。

人也是一样的，太过自傲，太过自私，就会失去朋友，人是社会性动物，需要依靠与人的交往来达到各种目的。尤其是在商场之中，一味地孤芳自赏，自私自利，不能处理好群我关系就会造成烦恼和失败。群我的相处之道，是商场上的人必修的一门功课。

那么，如何才能克服自傲、自私的毛病，处理好群我关系呢？

第一，了解别人。对一个人了解越多越全面，越能看到别人更多的好，彼此的关系才能更亲近。

第二，宽容别人。在生意场上的人，无论是给自己打工还是给别人打工，难免会出现一些疏忽和错误，在这种时候，宽容心是必不可少的。人难免有智愚贤不肖，对于别人的不足、缺点，宽容乃大智慧。

第三，理解别人。西方有句谚语说"穿上别人的鞋子走走路"，意思是说，与人相处不融洽时，应该变换一下角度，站到他人的立场上体会对方的想法和感受。很多事情，只要经过这么一个换位思考的过程，就不再是多么麻烦棘手的事情了。在商场上，最常见的现象莫过于"三十年河东，三十年河西"，今天别人有困难、有麻烦，明天说不定这困难和麻烦就落到我们头上了。多理解别人，其实也是在为自己留一条后路，留一条活路。

第四，关怀别人。可以从小处开始做起，哪怕平时一句简单的问候，都是关怀的一种形式。商场是另一种形式的战场，要在这个战场中生存，少不了互帮互助，在别人失意、困难的时候，适时表达一句关怀的慰问、提供一个关怀的协助，可以激发人的信心，使人重燃希望。

生意是一时的，而朋友是一世的。做生意无非是为了利益，但功利之心不可太重。孙正义在软银学院的课堂上告诫学员们：为了一点利益就抛弃情义，和往日的朋友打肉搏战、拼刺刀，不仅是愚蠢的，而且是不会有好结果的。

孙正义要求软银学院的学员记住以下5点：

1. 一定要争得你死我活的商战是最愚蠢的；

2. 如果你的眼中全是敌人，那么外面就全是敌人；

3. 竞争的时候不要带仇恨，带仇恨一定失败；

4. 竞争乐趣就像下棋一样，你输了，我们再来过，两个棋手不能打架；

5. 真正做企业是没有仇人的，心中无敌，天下无敌。

【孙正义说】

我只是在帮一个朋友。

哪怕平时一句简单的问候，都是关怀的一种形式。

生命的势能蕴藉于安静之中

我还差得远。

——孙正义

美国纽约时间2014年9月19日早晨，在华尔街的纽约证券交易所内，黑压压的投资人挤满交易大厅。伴随着8位阿里巴巴客户的一声敲钟，世界上迄今最大的一次企业IPO（首次公开募股）拉开序幕。

受阿里巴巴上市的影响，孙正义一举超越好友柳井正，以净资产167亿美元的身家，成为日本新一代首富。面对如此荣誉，孙正义作何感想，欣喜若狂，唏嘘感慨，还是淡定自如？面对众人的赞美、崇拜、嫉妒等，孙正义没有露出丝毫张狂，而是谦虚地感谢了众人，然后在推特上写道："距离我的目标还差得远。"

孙正义究竟是怎样一个人？能够做到在拥有富可敌国的财富时，依然保持一颗低调谦逊的心。而了解一个人最好的方法是什么？不是看他赚钱的多少，不是看他工作的好坏，而是看他在休闲时间的爱好。

一个人的爱好就像是一面镜子，可以看出人的品性。就拿音乐来说，有的人喜欢轻音乐，轻轻柔柔的像一阵微风，这种人多半性子平和，与人易于相处；有的人喜欢摇滚乐，声嘶力竭地呐喊方能排解他对于现状的不满，这种人多半对生活有极大的追求和热忱，庞大的精神世界和惨淡的现实冲击着心灵；而孙正义喜欢的是古典音乐，这种人普遍比较理性，做事富有规划性，一般也比较固执。

孙正义最大的爱好就是"坐禅悟道"。他对于中国传统文化相当推崇，对于儒、释、道三家，他都有着很深的理解。

在孙正义看来，佛家的"坐禅"、道家的"静坐悟道"，都是在追求心灵的安静。这一点对他来说显得尤为重要，因为每天面对纷繁复杂的商海，做不到守心如一，必然会被外在的物欲洪流裹挟。

所谓禅道，是指"人们通过静默的冥想悟得的真理，而非借助语言的表达"。因此冥想也是"禅"的主要方法，旨在了解万物背后的原理，尽可能地去认知万物存在中的绝对真理，并使自己与其完美契合。参禅悟道是孙正义在瞬息万变的商海保持灵台清明的重要方式。

孙正义崇尚谦逊、内敛的精神与佛家的内涵不谋而合，在以谦逊为美德的日本，有一个佛教故事流传甚广：

一个佛学造诣很深的人听说某个寺庙里有位德高望重的禅师，便前去拜访。进门后，他对禅师徒弟说话的态度十分傲慢。老禅师像招待其他人一样十分恭敬地接待了他，并为他沏茶。在倒水时，杯子明明已经满了，可老禅师还是不停地倒。

他不解地问："大师，为什么杯子已经满了，还要往里倒呢？"

禅师自语："是啊，既然已满了，我干吗还倒呢？"

禅师的本意是，此人既然自认已经很有学问，为何还要到他这里来求教呢？

妄自尊大者对自我失去了客观评价，认为在这个世界上自己已经足够博学，殊不知，这恰恰阻碍了他获得更大的智慧。有智慧的圣人则相反，孔子说："聪明有智慧的，就以愚拙的样子来保持；功盖天下的，就用谦让的态度来保持；勇力盖世的，就用怯懦的样子来保持；天下最富有的，就用谦逊的态度来保持，这就是谦让再谦让的方法。"简言之，真正有智慧的人往往是谦逊和虚怀若谷的人。

除了佛教"坐禅"，中国道家文化同样追求"心静"，"斋心养静，心静则身轻"的道家精神与孙正义推崇的修心养性法则实为一体。

心斋，是道家庄子提出的一个很重要的概念。所谓的"心斋"，其实就是在静静的体悟中折射出智慧的灵感，是一种原初静美的境界。

那么怎样才能达到心斋的境界呢？《庄子·人间世》中有一段话："入则鸣，不入则止。""入则鸣"，外境界一进来，心就会引起共鸣，好像是"风吹识浪"，即外境界的风一来，人的心波就动摇，心中的清静境界也随之消失。"听止于耳"，听觉停止，和外界脱离了关系，所以叫他也听不见，入定去了；"心止于符"，心里面什么念头也不动，自然和"道"符合。"气也者，虚而待物者也"，这个时候，呼吸之气是空灵的；"待物者"即所谓跟外面物理世界还是相对有待的。虽然身心内外一片虚灵，还是跟外面物理世界相待的，内心空灵是第一步的修养。

"斋心"，也就是让心灵静下来，其方法很多，打太极、冥想或者瑜伽都是有效的途径，但都有些麻烦。其实有一种更加简便易行，但十分有效的方法：静坐。

《礼记》中所说的"散斋""致斋"，就是一种静养、调心的过程。到了唐宋时期，中国的学者改造了佛教中的"打坐"，结合传统心灵修养的观念，形成了一个日趋成熟的静坐传统。不仅仅是中国人，一向受中国文化影响颇深的日本人也很早就有静坐冥想的传统。

清华大学方朝晖教授认为，静坐不是呆坐，而是要对自身进行思考、剖析。静坐的时候，要强迫自己静下心去正视一些平时被搁置、以种种理由不去想或者佯装不在乎而回避的问题。因为与其一再回避求得暂时安稳，不如主动接触它、解决它。

其实，不管是"坐禅"还是"静坐悟道"，深究孙正义的个性，这一切是因为他属于沉静型领导。

巴达拉克教授在他的著作《沉静领导》中说，大多数卓越的领导者并非公众英雄，他们不是抱持高姿态、为理想而战的斗士，也并不愿意成为那样的人；他们也不会充任什么道德讨伐运动的急先锋；他们的一举一动都很有耐心，非常谨慎，做事循序渐进；他们做正确的事情——为了他们的组织，为了他们周围的人，也为了他们自己——不动声色，毫发无伤。

沉静型领导者的超凡成就在很大程度上归功于他们的谦逊与克制。事实上，由于很多困难的问题只能通过一系列长期的细微努力才能解决，所以，沉静领导之道，尽管乍看起来显得步调缓慢，但经常会被实践证明是使一个组织，乃至这个世界，得以改善的较快途径。

沉静的领导也往往意味着他们总是以谦卑的姿态示人。这种谦卑并不代表"缺乏自尊"，相反，他们既能肯定自己的重要性，也能肯定其他人的重要性，所以他会尊重自己，尊重他人。谦卑使领导者能够理解一个浅显的真理：谁都不是全知的，也没有人完全无知。

企业领导时刻保持着谦卑的心态，他的下属便愿意和他交流自己的想法，愿意向他提出建议或是指出新的方案实行中他们认为可能出现的错误，及时补救或是改正，使企业的损失降到最低。这样企业的效率也就会提高，企业利润也会随之提高。谦卑的领导能做到虚心听取企业各部门每一个员工的意见。

如今，每个在软银学院希望自己未来能够接班孙正义的学员，都必须明白一个道理：企业领导者具备谦卑的心，不会骄傲自大，不会欺诈，也不会轻视员工。如此一来，员工就会有感恩的心，也就不会斤斤计较个人得失，这样企业就能形成一种和谐的企业文化，从而有利于企业的发展。

【孙正义说】

距离我的目标还差得远。

人们通过静默的冥想去悟得真理，而非借助语言的表达。

守正，再出奇

那时候我在总务省大臣的办公室里拍桌子，拍了十几分钟，手掌都拍麻了。后来我问麻生太郎打火机在哪，我说要在这里自焚。我的性格就是这样，才不管什么大臣不大臣的，做错了就是错了。

——孙正义

2011年11月，在日本东京霞关总务省的办公大楼内，上演了一场"汽油烧身自焚"的戏码，孙正义是主角。孙正义之所以做出如此强硬的动作，为的就是让总务省修改已有的电信宽带法规，允许软银进入这一早被NTT和KDDI垄断的行业。

总务大臣麻生太郎看着眼前的孙正义，在无奈之余也不得不钦佩他的刚烈。

事情还得从雅虎宽带业务说起。

2001年，孙正义剑指宽带业务，因为这是进军互联网的必争之地，另外也是由于2001年互联网泡沫让孙正义损失了几乎全部的身家，软银市值跌至谷底。他需要一次全面的胜利来挽回败局，重整旗鼓。

于是2001年6月20日，孙正义在雅虎日本网站上向用户开放了宽带安装预约申请，东京的用户可以从当月开始享受试用服务，面向日本全国的服务将从8月开始。这项服务被命名为"雅虎日本Broad Band"，简称雅虎BB。困难但是向前推进着，雅虎BB业务指日可待。就在这时，这项业务被日本电报电话公司NTT卡住了。

NTT是日本最大的电信服务提供商，想要在日本开展宽带业务，需要向NTT租借各个区域中心机房里的设备，以及他们的光纤。软银的网络就是这些由光纤连接起来的机房组成的。这真是太不容易了——某些区域的中心机房之间很可能并没有铺设光纤，已经用光纤连接的机房可能没有闲置的光纤可供出租。雅虎BB的工作人员不得不先确认他们所需要的机房之间是否存在光纤，如果遇到"此路不通"的情况，他们就需要修改此前的网线铺设线路。修改线路也许麻烦点，但至少是可以协调解决的，让人更加头疼的是，机房压根没有空闲的光纤可租借。

形势越来越严峻。

已经有十多万人递交了申请，而照当时的工程进展，没有办法按时为这些客户提供服务，孙正义不得已将正式服务的时间推迟到9月1日。到了9月3日，雅虎BB已收到100多万人次的宽带申请，但是公司目前租借到的光纤设备仅够为4万用户开通服务。

无数的电话打到软银，接都接不过来，后来负责软件业务的部门也不得不被安排接用户投诉电话，这些人对宽带业务毫无概念，除了道歉也无计可施，这更增加了用户的不满。再拖下去是不可能了。

但是如果通过正常渠道申请光纤，只会让工程变得遥遥无期，最后孙正义直接到总务省跟官员谈判。说是谈判，倒不如说是"要挟"，据说当时孙正义拍着官员的桌子大声说："把打火机给我，没有光纤的话我还不如直接在这里浇汽油自焚！"

面对如此紧急的情况，总务省的官员一面让孙正义不要激动，一面赶紧让当时担任总务大臣的麻生太郎赶来谈判。麻生太郎可是日本政界出名的强硬派，可是当他面对"寻死觅活"的孙正义，也只能摊手。"给我接通NTT社长办公室"，麻生太郎当场这么说。很快，电话那头给出了"愿意让步"的答复。听到这个答复的时候，孙正义拿着汽油的手才放松下来。

站在一般人的角度，孙正义这样把自己逼上绝路、得罪总务省是非常"愚拙"的行为。"和气生财"是每个人都熟谙的道理，直接强逼总务省当场答应"租借光纤"，这样的行为在日本商界可是闻所未闻。当时很多人都说孙正义太猛、太蠢，用这种不转弯的方式坚持自己的主张，聪明人应该学会变通，从侧面解决问题。但对孙正义来说，坚守远比变通重要。

冯仑曾写过一篇《义利相和，守正出奇》的文章。在这篇文章里他说："做生意要守正才能出奇，要有良好的价值观，有一个正确的目标和很好的责任感，这样企业才能做好。很多情况下他们（认为要）善于变通，但我的经验是凡是变通多的地方，一定活不下来；没变通的，现在也没什么问题。所以守正才能出奇，奇多就邪了。"

"守正出奇"这个词源自《孙子兵法》的"以正合，以奇胜"。"正"是指正路、正道，"奇"是指出人意料，"守正出奇"则是说在正道而行、守法经营的基础上突破思维、出奇制胜，也就是用70%的时间去想"正"的事情，而用30%的时间来研究变通。这是一种稳健中求创新、以创新促成长的发展战略。

冯仑说，"守正才能出奇，奇多就邪了"。"守正"很多时候会显得笨拙，看着很慢，但实际上很扎实，因为坚持了原则，减少了失误，成功率自然也就会提高，而且还能减去不少麻烦，以稳健取胜。

真正的强者，不会畏惧外在的压力，而能够坚持自己心中的信念。一个文学家曾说过，走正直诚实的生活道路，必定会有一个好的归宿。对孙正义来说，不管面对的是谁，错了就是错了，哪怕是总务省和通信巨头NTT。通过这次"自焚事件"，雅虎BB业务打开了局面，孙正义成了民众心中的正直人士。

【孙正义说】

打火机在哪，我要在这里自焚！

坚守远比变通重要。

第二章
**坚决执行
50年的人生
规划**

我要制造亚洲的成功，要和你们一起制造亚洲的成功。和你们在一起，我们将会凝聚亚洲的力量，然后去制造全球的成功。软银的愿景就是在亚洲发展移动网络，希望我们能够把这一件工作一道做成，我希望能够帮助年轻的中国网络企业家。我希望你们有非常美好的梦想，今后50年的梦想。如果你们想取得成功，我打心底里愿意帮助你们，因为我渴求成功，让我们一起成功。

障碍物前，思维模式需要快速迭代

我出生在一个不那么富裕的韩裔家庭。因为我的"泡菜"血统，小时候我受尽了歧视和白眼。我在幼儿园的时候，被人家骂"滚回韩国去"，后来还被人用砖头砸伤了脑袋。

我们软银当初大多数收入都是电脑软件分销，还有杂志的出版等。所以你可以看一下我们收入的版图。今天的业务在以前占收入的1％，过了10年，我们已经完全脱胎换骨了。10年以前我们互联网业务只占到1％，但是现在已经占到99％了。这需要我们不断地求变，不断改变自己，要创新，要挑战自己。这种挑战真的是给我们带来了丰富的硕果。

——孙正义

孙正义现在是日本首富，浑身闪耀着智慧的光环。其实，很多人并没有看到他如何从一个穷酸小子，一步步跌跌撞撞走到今天，两只眼睛只盯着光环加身的孙正义，而对他的"不光彩"的一面选择性失明。"投资之神""孙大圣""从未来坐着时光机回到现在的人"，诸如这样的描述被贴在了孙正义身上。而孙正义自己说："我做的事情绝大多数都失败了，包括投资的公司。"

孙正义和软银的30余年，失败的事情确实不少：

1957年孙正义出生在日本一个韩裔家庭，从小受尽当地人的排挤。

"1981年9月，我在离家很近的福冈县大野城市创立了软银公司。当时公司位于一个连空调都没有的陈旧建筑的二层。"孙正义回忆说，在苍蝇满天飞的环境下，他开始了软银帝国的版图扩张征程。

1983年春天，孙正义在公司员工的例行体检中，查出自己患有严重的慢性肝炎。不仅身体面临着重大的危机，软银同样弥漫着惨淡的气氛，"经营不善""持续亏本"等字眼不停地传到病榻上的孙正义耳中。

软银刚成立的半年内，就与日本42家专卖店和94家软件业者交易来往，并说服东芝和富士通投资，扩大规模。但是好景不长，由于经营不善等原因，软银面临着倒闭的危险，孙正义本人也背负巨额债务。

1982年，为了扭转软银的形势，孙正义想在日本很受欢迎的3家电脑杂志上做广告，却遭到拒绝。他很愤怒，决定自己创办杂志，但当时，他的公司无论在经验还是人才上都非常匮乏，创刊发行量为5万册的杂志，退货率达到85%。

孙正义在全球投资了超过800家互联网公司，除阿里巴巴外，还包括E*Trade、雅虎、InsWeb、BUY.com等。不过除了这些已经成功的凤毛麟角般的公司以外，孙正义投资的公司大多数都在很短时间内破产。尤其是在1999年互联网金融泡沫破灭的时候，软银股价一度下跌到只有原来的1%，孙正义也是负债累累。

换作一般人，可能早已放弃了创业，但是孙正义的人生抉择更倾向于迎难而上，这也是事实。

春秋战国时期的哲学家庄子在《庄子·人间世》中，讲述了支离疏的故事。

这个名叫支离疏的人，下巴隐藏在肚脐下，双肩高于头顶，后脑下的发髻指向天空，五官的出口也都向上，两条大腿和两边的胸肋并生在一起。他给人缝衣浆洗，足够度日；又替人筛糠簸米，足可养活十口人。国君征兵时，支离疏将袖扬臂在征兵人面前走来走去；国君有繁重的差役，支离疏因身有残疾而免除劳役；国君向残疾人赈济米粟，支离疏还领得三钟粮食、十捆柴草。

最后庄子得出结论说，像支离疏那样形体残缺不全的人，还足以养活自己，终享天年，更何况我们这些形体完整的人呢！

面对挫折，人们最容易出现的问题就是抱怨和哀叹。

2010年11月17日，休斯敦火箭队主场92∶95不敌芝加哥公牛队，本场比赛火箭队大前锋路易斯·斯科拉得到全队最高的27分，但是仍然难阻火箭一败。赛后，斯科拉接受了记者们的采访，表示输球不因裁判，而是火箭队自己葬送了胜利。对此，斯科拉说："我们不能一直找借口，防守，伤病……如果你整天都在寻找借口，你也许能找到，但是我们需要赢球，每个人在完美的状态下都能赢球。我们需要成为一支好的球队，我们也想要成为好的球队，而不是去寻找借口。我们只是需要去赢得一些比赛。"

英吉利海峡隧道于1994年通车后，欧洲第一趟国际列车欧洲之星高速列车也随之通行。有了它，英国人可以方便地拜访欧洲大陆，这也是欧洲人第一次可以不用坐飞机就快捷地抵达英伦三岛。在欧洲之星开通后，人们乐观地预测这条线路上的客流量将达到每年1500万人次，但事实上，第一年欧洲之星只搭载了300万人次。

显然，公司最开始对旅客的预期出了问题，迷失在"平均化"之中。因此，公司开始采用另一套客户数据分析，将旅客分成了几种不同的类型，发现有一类旅客是欧洲之星利润提升的关键。这类旅客有如下共同点：

第一，出行对于他们来说是生活常态；

第二，他们十分慷慨，出手大方；

第三，每次出行他们都非常重视时间成本；

第四，他们需要相对安静的空间起草文件或者阅读报告，不想被打扰。

这一类人就是经常出差的商务人士。于是，欧洲之星开始研究如何将这些客户留在方便快捷的欧洲之星上，而不让他们转向低成本航空公司。2002年9月，欧洲之星耗费3500万英镑推出了"商务欧洲之星"服务，为商务出行人士提供单独的车厢。不仅如此，公司还特别针对这类旅客开设了15分钟快速检票机制，直接解决了他们的麻烦。欧洲之星甚至特地为商旅客户们将座椅改造成旋转式，每个座椅下面还配备插座供手提电脑使用。

经常搭乘欧洲之星的还有另一类客户，他们出行的目的主要是拜访亲友。他们的稳定将是欧洲之星长期利润的来源。于是，欧洲之星开始针对他们进行差异化服务。比如工作日的优惠车票，常旅客奖励项目，在车票上捆绑一些针对家庭的折扣门票，如游乐园门票等。

当然，欧洲之星划分的旅客类型有很多，他们也在不断地发掘新的旅客群体。这些旅客群体有一些是像商旅乘客或探亲乘客这样有利于业绩增长的关键点，一旦发现他们，公司就会不遗余力地为他们提供有针对性的差异化服务。2015年，欧洲之星运营的关键目标将是中国富裕旅客。欧洲的中国游客数量正在稳步上升，其中的富裕人群都将乘坐欧洲之星视为欧洲之旅的必要项目，而且他们也非常热衷乘坐欧洲之星前往巴黎等时尚之都购买顶级时尚品牌。欧洲之星针对这类顾客的目标非常明确：提供舒适安全的服务保障，让这类旅客成为欧洲之星的另一利润增长点。

孙正义说："人生不公平的事情有很多，挫折也是常有的，但是我们不能一直唉声叹气，跨越逆境才是正确的做法。"怎样才能跨越人生的逆境？失败的例子永远比成功的故事有价值得多，从挫折中汲取经验教训，并及时切换你的思维模式和情绪模式。

第一是找准人生进化的方向。美国棒球名人尤吉·贝拉曾说过一句话："如果你连自己要去哪都不知道，你是不可能到达目的地的。"

第二是要有马上投入战斗的姿态。"没做的事情就不要说不行。"

当王小川带领一批极客做搜索引擎的时候，搜狐并不具备做这件事的技术基因。并且，"全世界能做这事的国家，比做核弹的还少"，王小川说。研发团队以技术为驱动，而搜狐是一家媒体属性的公司，彼此不兼容。不少人质疑这件事情干成的可能。产品运营后，它面对的是已经上市的强大对手，而搜狗团队只是搜狐的一个部门，为什么它没有被大象的阴影遮蔽掉？

"把产品做出来，和运营起来的难度相比简直不是一个量级。"一位初期便待在这个研发团队，与搜狗一同走过来的内部人士感慨。极客容易陷入单一的技术性思维的路径，但王小川很早就"打碎"了自己，首先改变了自己的格局，从技术驱动开始，走向产品，再到管理。

第三是永远不要怀疑自己做的事情。孙正义说："当一个新技术出来的时候，平庸的人总是说三道四，但是我从不在乎，因为过几年后他们就会转变态度。"

第四是借助生活的逆境锻造品质。苹果公司创始人乔布斯认为他被养父母收养意味着他很特殊。另一方面，孙正义说他从小到大都有一种自卑感，因为在一个种族单一的国家里他的家庭因为其韩国血统而感到羞耻。在逆境中长大的孩子往往会变成适应性强、坚持不懈且无所畏惧的人，要知道，"贫穷的孩子长大了也不一定会打败仗"。

【孙正义说】

没做的事情就不要说不行。

当一个新技术出来的时候，平庸的人总是说三道四，但是我从不在乎，因为过几年后他们就会转变态度。

贫穷的孩子长大了也不一定会打败仗。

把事业当成最好的信仰

对于其他人来说，创业投资互联网可能是赌博；可是对我来说，并不是赌博，它是一种信仰：我不光把一条腿站进去了，而是把两条腿都站进去了。未来虽有挑战，但定能打开未来之门。没有任何挑战就能面对未来的情况，要么是前人栽树后人乘凉，要么纯属运气，恐怕也不能长久。但是主动持续挑战着的各位，是自己开拓自己的未来的，我认为一定能取得好的结果。

——孙正义

古希腊哲学家苏格拉底说过："不懂得事业意义的人常视事业为不停地工作劳役，则其心身亦必多苦痛。"你把事业当作什么，它就会回报你什么。

大多数人都会认为，所谓"事业"的目的不过是获得生活的食粮。他们觉得，劳动的价值是为了吃饭而获取报酬，而不是为了"虚"的事业。当然，获得维持生活的口粮是工作的重要理由之一，然而，拼命努力工作，难道说仅仅是为了吃饭这一个目的吗？

应该说，人们工作不仅是为了糊口，更是为了提升自己的心志。事业应该是我们的信仰，而不只是谋生的工具。工作的意义，正在于此。日复一日勤奋地劳作，是所谓"精进"，可以达到锻炼我们的心志、提升人格的作用。

1981年，为了调查市场前景，孙正义成立了软银，并且聘了两位助手。在低矮的房间里，孙正义站在破旧的箱子上，对着员工宣讲自己的事业梦想："5年后我们的营业额要达到100亿日元，10年后达到500亿日元。相信我们有朝一日营业额一定会以万亿为单位。"孙正义的热血感染了自己，却吓跑了别人，仅有的两名员工辞职了。不仅是那如今早已没有踪影的员工，当时孙正义的亲朋好友也都觉得孙正义的想法太过异想天开。有的人会好言相劝，有的人则在背地里讥笑，而孙正义却说："这是我的信仰，不要对我的信仰说三道四。"

2002年，软银首次推出宽带业务。当时孙正义进退维谷，软银的年度赤字高达数百亿日元。为了找到新的经济增长点，孙正义决定开展宽带业务。但是因为技术、人才、设备等资源在短时间内跟不上，软银遇到了极大的挑战。

那段时间，软银总部大楼经常是彻夜灯火辉煌，通宵奋战的员工比比皆是。孙正义也不例外，经常在自己的办公室里干得昏天黑地。后来，为了节约时间，他甚至连自己的办公室都不去了，直接在软银对面的写字楼会议室里工作。那段时间，孙正义和每个软银员工都面临着高强度的工作，每天只有濒临极限的时候才去休息。

虽然整个宽带业务推动过程进行得很痛苦，每天都有大量问题冒出来，但是在所有人的冲刺下，软银开辟了自己新的事业领域，渡过了经济上的难关。为什么孙正义和软银员工要这样拼命，为什么软银的员工愿意跟着孙正义拼命？答案都是"把事业当信仰，你在为自己工作"。

一个木匠师傅曾说：树木里居住着生命，工作时必须倾听这树木中生命发出的呼声。在使用千年树龄的木材时，我们需以精湛的工作态度来对待，因为我们的技艺必须像有着千年树龄的树木一样，要经得起千年岁月的考验。

这位木匠师傅已逾古稀，职业生涯一直就是修建神社。只有小学毕业的他几十年间从事着木匠这项工作，辛苦劳累。其间他也曾不胜厌烦，甚至有时想辞职不干，但还是坚持了下来，几十年如一日地承受和克服了种种劳苦，勤奋工作，潜心钻研。他在经历一生的劳苦和磨难后，才用自己的体会说出如此语重心长、警醒世人的人生智慧。

这种动人心魄的话出自一个平凡木匠之口，非亲身体悟无法说出。木匠工作的意义是什么？它的意义不仅仅在于使用工具去建造美轮美奂的房屋，不仅仅在于不断提高木工技术和工艺，更在于磨炼人的心志，铸造人的灵魂。

每个人都觉得自己的工作是世界上最惨、最累的工作，"做个明星多好，模特也不错"，但是又有谁知道光环背后的心酸。

1. 销售部门：产品滞销，8点上班来就站在店里，一个人坐到晚上6点，今天顾客寥寥无几，和昨天一样。

2. 作家：交稿期要到了，还没有灵感，两个星期没吃早饭了。

3. 公司职员：晚上加班到夜里两点，第二天还要9点准时去上班，路上乘车还需要一小时，这样已经两个月了。

4. 外科医生：刚刚睡着，立刻被叫醒去做一个5小时的大手术，这样至少一周一次。

事业不是玩乐，工作各有各的辛苦。所以，停止抱怨，否则机会就在唉声叹气中从身旁溜走。

像这位可敬的木匠师傅一样，将自己的一生奉献给一项职业，埋头苦干，这样的人最有魅力，也最能打动人。将精力倾注于事业是对万病都有疗效的灵丹妙药，难怪孙正义说"事业让我活得有真实感"。

信仰事业，全心全意工作能够强大一个人的内心，帮助人们克服人生的种种磨难，让命运获得转机。把事业当作信仰，你就会带着激情和爱做自己的工作，而不仅仅是没有感情的"流水线机器工"。

纪伯伦有一首诗是这样写的：

生活的确是黑暗的，除非有了渴望；

所有渴望都是盲目的，除非有了知识；

一切知识都是徒然的，除非有了事业；

所有事业都是空虚的，除非有了爱；

当你们带着爱工作时，你们就与自己、与他人、与上帝合为一体。

带着爱去工作，就是将你的灵魂气息注入你的作品。对事业的爱情，能避免人生的无知和盲目，劳动就是把爱显影，使之有形可见。孙正义也有类似的感悟："你还在烦恼吗？投入到工作中去，工作会消除你所有的困扰。"

【孙正义说】

这是我的信仰，不要对我的信仰说三道四。

你还在烦恼吗？投入到工作中去，工作会消除你所有的困扰。

哪怕下一刻是死亡，也不停下脚步

多活多长时间并不重要，重要的是自己有多少激情。

——孙正义

对于死亡，几乎每个人都会本能地感到恐惧。如果在26岁时被告知生命只剩下短短5年，相信绝大多数人的神经都承受不了这个重磅消息的摧残。

"1983年春天，在公司健康检查中，我被诊断为慢性肝炎，情况很严重。医疗人员说我最多只能活5年，之后很难保证能否生存下去。我感觉天一下子就塌下来了。"

当时，软银才刚刚创立两年，孙正义正满心激昂地向前进，"重度慢性肝炎"在宣判他生命即将走到尽头的同时，也无情地结束了他的事业。被确诊的第二天，孙正义住进了医院。躺在病榻上，孙正义一个人想到了刚刚起步的软银，想到了尚在襁褓中的女儿，还有父母、妻子、朋友……坚强的孙正义罕见地哭了出来。

"我真的很想活下去。只要能和家人一起，只要能稍微多点时间看着我的女儿……"面对死神的"邀请"，孙正义在经历短暂的精神崩溃后，逐渐恢复往日的坚强，而新生的女儿无疑给了初为人父的他莫大的力量。

为了不让家人担心，为了不让投资人、客户担心，孙正义决心向所有人隐瞒真相。那时候，他一边在医院积极配合治疗，一边通过传真机远程遥控软银的事务，同时还要分心照顾家人。

尽管是善意的谎言，孙正义还是遭到了周围人的非议。同事和投资人开始抱怨，他们以为孙正义每天只知道躲在外面风流快活，不管软银的烂摊子；亲人也对孙正义长期不回家心有怨言。面对这一切，孙正义有苦难言，只能沉默。

在医院的日子太过难挨，于是孙正义疯狂地看书，让自己没有时间难过。"每当感觉自己深陷泥潭的时候，我都会打开书。这样下来，我读的书共有4000多本，获得了足够我受益一生的知识。"通过读书，孙正义逐渐开朗起来，并且能够勇敢面对当时的困境。其中最重要的一本书当属司马辽太郎写的《龙马奔走》，这本书的主角是孙正义年少时的偶像——坂本龙马。

熟悉日本明治维新时期历史的人一定不会对"西乡隆盛"这个名字感到陌生，他是"明治维新三杰"之一，而坂本龙马就是西乡隆盛的好友，曾经和他一起为日本的维新运动奔走。坂本龙马一生为了日本的未来四处奔走，年仅33岁就不幸逝世，但是在他生命的最后5年里，坂本龙马做出了众多彪炳史册的事迹。

孙正义在小时候就十分崇拜坂本龙马，把他当作人生的导师，但是再次回首了解坂本龙马的时候，孙正义感到前所未有的愧疚：坂本龙马尽管活得并不长久，但是他不顾自身的死活，只为事业而奋斗。

在坂本龙马事迹的激励下，孙正义开始正视自己的疾病，哪怕只能活5年，那又算得了什么！生命不息，奋斗不止。在接下来的时间里，孙正义依然时常进出医院，但没有了往日的颓废，重拾了生活的热情。

天无绝人之路。在孙正义强烈的求生欲望面前，死神也不得不让步，孙正义迎来了生命的福音。

1984年，孙正义得知了一种新疗法，这就是熊田博光博士创造的"类固醇脱离疗法"。简而言之，就是一种通过把慢性肝炎转换为急性肝炎来提高人体内部抵抗力，以达到治疗效果的休克疗法。尽管当时这项技术还不是很成熟，但是孙正义没有选择的余地，他毫不犹豫地接受了新疗法。幸运的是，治疗结果是理想的。随着病毒数值大幅降低，孙正义终于在1986年5月重归一线。

可以说，病榻上阅读的4000多本书陪伴着孙正义度过了生命中最艰难的日子。孙正义除了在书中学习到企业的经营方法，不少书籍对于生命、死亡等主题的阐述，同样让他逐渐从悲观被动走向乐观主动，直至新生。

不仅仅是孙正义，很多创业者都把事业看作自己的生命，甚至看得更重。就拿快递行业来说，顺丰的创始人王卫就曾因为保护顺丰而被杀手"关照"过。当时顺丰正处在发展壮大期，经营模式是以加盟营销为主，但是王卫觉得加盟营销的弊端太多，譬如说各地各自为政，不成体系，或者是标准不一，难以管理，因而他决定将顺丰各地的加盟商收为己有，变加盟为直营。

王卫首先在2002年于深圳建立了顺丰的公司总部，以此为开端，进而开始全面改革顺丰的运营模式。王卫的改革措施遭到大小加盟商的强烈反对，同一地区的加盟商拉帮结派反抗王卫前来"收编"。王卫依然强行推行他的改革政策，在此期间，他受到部分加盟商含有警告意味的生命安全威胁。

面对困难，王卫依然坚定地推行着他的改革措施。王卫的强势改革为他带来了杀身之祸，一些加盟商为了一己私利，竟然请了黑社会追杀王卫。后来当事人王卫一字不提此事，但他现在无论去哪，身边总会有几个彪形大汉保护。

在扛过最艰难的一段日子后，剩下的一些观望的加盟商最终放弃了抵抗，顺丰成为我国唯一一家完全直营化的快递企业。虽然直营化过程中王卫遇到各种各样的困难，甚至差点为此丧命，但完成直营化后的好处是难以估量的。

尼采认为生命本身就是价值标准。尼采的哲学观最重要的一点是，哲学的使命就是要关注人生，给生命一种解释，给生命的意义一种解释，探讨生命的意义问题。而生命的意义便在于从骆驼到狮子到婴儿的"三变"。

尼采以骆驼、狮子和婴儿比喻人生精神阶段三境界。这是因为骆驼能吃苦负重，任劳任怨；狮子凶猛顽强，毫无惧怕；婴儿纯洁善忘，天天成长。尼采精神"三变"是指：一变为骆驼；二变为狮子；三变为婴儿。

骆驼有"沙漠之舟"的美名，能背负重担，忍受考验，毅然决然地向前走。

骆驼能承受巨大的负荷，但凡事听从他人指挥，所以，骆驼必须蜕变为狮子。狮子有"森林之王"的称号，有大无畏的精神，具有强劲的生命力与开创的勇气。狮子的比喻，是说任何环境都无法阻碍它的前进与发展。和骆驼相比，狮子的象征意义是：你对自己说"我要如何，我要如何"！这显然是从被动转变为主动了。人生成败的关键就是从被动到主动。骆驼若不变为狮子，则人的一生只不过是随人俯仰。

三变为婴儿。婴儿代表新生命的开始，也是一切可能性的开始。

婴儿的境界并不意味着无知、幼稚，而是代表重新回归原点，重新出发。这时，他能够安于眼前处境，踏踏实实地活好每一天、每一分钟。当一个人抵达婴儿阶段的时候，他就不会再遭遇前面所列举的一系列问题了。

孙正义在病榻上同样经历了这3个过程，刚开始时显得悲观，充满压力，只知道一个人忍辱负重；后来孙正义从坂本龙马身上汲取了正能量,变成了一头无所畏惧的狮子;最后孙正义战胜了病魔,挽救了软银,他和他的软银都获得了新生。

其实,孙正义一生都在"骆驼""狮子""婴儿"之间不停地变换,当他战胜病魔获得新生的同时,他又面对着高筑的债台,重新变成负重的"骆驼",在还债的过程中他再次勇敢面对,成为"森林之王",在还清债务的时刻又获得新生。不仅是孙正义,其实每个人的一生都处在这三者的无限循环中。这听上去好像令人丧气,因为永远没有尽头,但人生不就是这样不断超越自我吗?

【孙正义说】

每当感觉自己深陷泥潭的时候,我都会打开书。

坂本龙马给了我活下去的力量。

一旦下定决心成为第一,只有不断死磕

软银成为业界第一,总比在数千家荞麦面店中成为第一要简单一些。

——孙正义

"既然对于员工有深厚的感情,对客户有强烈的责任感,那就成为行业第一吧!"这是孙正义在软银学院的讲话,阐明了"一定要成为第一"的软银文化。

孙正义小时候就树立了"成为日本第一的企业家"的理想,软银成立的时候,孙正义依然不改初心,对着仅有的两名员工

发表了自己的豪言壮语。不过，孙正义可不是专注于吹牛的"口遁"派，而是个务实的行动派。其实，孙正义小时候的生长环境就是务实、踏实的，不论是父母为生计四处奔走的身影，还是和奶奶一起出去挨门挨户搜集泔水的经历，都是孙正义形成务实性格的原因。

先看看下面这个故事：

有个人经过一个建筑工地，问那里的石匠们在做什么。3个石匠有3种不同的回答：

第一个石匠回答："我在做养家糊口的事，混口饭吃。"

第二个石匠回答："我在做整个国家最出色的石匠工作。"

第三个石匠回答："我正在建造一座大教堂。"

3个石匠给出了3种不同的目标，第一个石匠认为工作是为了养家糊口，他的愿望只是想满足自己基本的生理需求，没有什么远大的抱负；第二个石匠说自己的梦想是成为全国最出色的匠人，他只考虑自己要成为什么样的人，很少考虑这份建筑工作最后要达到的目的和要求；而第三个石匠的回答说出了创造性活动的目标真谛，他清楚地知道自己的愿景是建造一座大教堂，这就把自己的工作目标和组织的目标结合起来，从组织价值的角度看待自己的发展。这样的员工事先就可以看到"完成时的状态"，所以第三个石匠会更容易走向成功。

1981年秋，孙正义决心成为日本第一的软件销售商。那时的孙正义身无长物，软银也不像现在这样能够代表一个时代。为了走出最初的困局，孙正义决心下猛药：集中公司所有的人力、物力、财力，在大阪电子展上为全日本一定规模的软件服务商提供免费展位。

为了这次电子展，孙正义破釜沉舟，花费800万日元包下了最大的一个展位，然后向几十家软件厂商发去了展览邀请。虽然是免费的好事，但很多企业还是将信将疑，因为从来没有听说过孙正义和软银，而且搞不懂他为什么要提供这样的免费服务。

当时已经46岁的清水洋三先生是第一个接受孙正义邀请的人，回忆起当年的场景，清水依然记忆犹新。清水接到软银的邀请后，曾经亲自去过软银的办公地点，当他看到那破破烂烂的楼房，连个电风扇都没有的办公室时，心里很难对这家公司抱有信任。不过当他得知孙正义是伯克利的高才生后，脸色稍稍好转。孙正义也乘势大力向清水先生讲述自己的观点，说出自己对于电脑和软件的观点。

耐不住孙正义的恳求，清水答应了下来。殊不知，他是第一个答应孙正义的人。最后，一共有13家软件商接受邀约在软银的展位上展示自家的产品。电子展很成功，很多人围在孙正义组织的软银免费展示区。就这样，孙正义向行业宣告了自己和软银的到来，打响了事业的第一枪。

很快，孙正义的投入就获得了回报。大阪电子展结束之后，日本上新电机公司找到孙正义，希望软银能够代理日本最大的零售公司上新电机的软件业务，孙正义自然是求之不得，双方很快就达成了一致。初出茅庐的软银得到上新电机的青睐，从事代理业务，就是得益于孙正义在大阪电子展上打响了软银的名声。上新电机公司需要寻找一家软件代理公司，一位曾经参加过大阪电子展的企业负责人向上新电机公司的藤原睦朗先生推荐了孙正义，双方在这位企业负责人的牵线搭桥下得以合作。

除了上新电机的软件业务，孙正义还获得了哈特森公司的独家代理权。哈特森软件公司是当时业界首屈一指的软件公司，孙正义之前也向它发出了展览邀请，但是遭到了拒绝。之所以决定与孙正义合作，原因是哈特森的总经理工藤裕司对孙正义的激情与热血印象深刻，工藤裕司认为如此做事认真的人不可能不成功。

不过欣赏归欣赏，生意是另外一码事。工藤裕司还打算让电波社和夏普集团的子公司Nideco一起参与代理。面对这样的竞争对手，孙正义显得胜算渺茫，不过他最终经过东拼西凑，筹齐了工藤裕司要求的金额，一举拿下了哈特森软件公司的独家代理权。

凭借与上新电机和哈特森的两份合约，软银在几个月内从一个一穷二白的公司一跃成为日本最大的软件流通商。此后，许多软件公司都主动要求加入软银的加盟店，软银的业绩就像滚雪球一样增长。

一切困难在孙正义眼中似乎都不是困难。他总能给那些看起来毫无破解希望的难题找到解决的方法。这或许是"成为日本第一"的决心在起作用，他说，一旦下决心成为第一，就要集中精力，无论如何都要向这个目标前进。

雕爷牛腩也是这样，他们的口号是"宁当榴梿，不做香蕉"，意思是宁愿做一个有人喜欢有人恨的独具特色的榴梿，也不做一根既不讨喜也不讨厌的，没有任何特点的香蕉。雕爷牛腩的特点，首先是菜品很少，只有12道菜。这与其他恨不得将满汉全席尽数收罗的传统中餐馆相比差异极大。因此，"第二次来点菜的客人与第一次点单的重复率高达80%"。

除了菜品少，雕爷牛腩在卖酒时也论"杯"卖而不论"瓶"卖，同时规定餐馆里不接待带小孩的家庭。这几样条件综合下来，能够保证那些喜欢雕爷牛腩的客人在这里得到极致的服务体验。事实也证明，雕爷牛腩的翻台率非常高，而且坪效远远高于同商场内的其他餐馆。

不仅仅是餐饮业，仔细观察行业的翘楚，每个人的成功背后都是"坚持行业第一，做到极致"的思维。

自媒体人罗振宇每天早上6点半发一条60秒的语音消息，不多一秒，也不少一秒，用他自己的话说，这是"死磕"，因为这精准的60秒，他需要重复录上好几次，而他一做就是一年，每天早上6点半，每条60秒。

荣昌洗衣店在2013年11月推出一个新的项目"E袋洗"。这个项目说起来很简单，消费者通过微信下单，洗衣店的员工上门把脏衣服取走，洗好了再送回来，承诺不超过72个小时。"E袋洗"的"死磕"体现在一个"口袋"上。这个口袋是"E袋洗"用来收纳用户的脏衣服的，无论在材料还是配色上都经过了专门设计，包括字体。荣昌的创始人张荣耀说："别小瞧这个字体，我们都是花了很长时间去搭配、设计的，这些细节是最难做的。"这就是对细节的死磕。

"不疯魔不成活"，既然想做第一，那就在细节上做足功夫，逼死自己才能激活项目。

【孙正义说】

既然对于员工有深厚的感情，对客户有强烈的责任感，那就成为行业第一吧！

一旦下决心成为第一，就要集中精力，无论如何都要向这个目标前进。

做更大的事，找存在感

如果觉得世界是属于自己的，那就做点什么。

——孙正义

商界流传着一个经典的对白：

1983年，苹果创始人史蒂夫·乔布斯打算挖百事可乐的CEO斯卡利。刚开始斯卡利显得犹豫不决，因为他从来没想到自己会和科技公司挂钩，不过乔布斯对他说了下面这句话，让他改变了主意：

Do you want to sell sugar water for the rest of your life, or do you want to change the world?

你想卖一辈子糖水，还是改变世界？

毫无疑问，斯卡利选择"改变世界"。

职业没有高低贵贱之分，但梦想有大小。"人生只有一次，值得你仔细设计。"孙正义也是个想要改变世界的人，他在很小的时候就树立了"将来要做一番大事"的理想。

人生其实是自己的一个个选择构成的，志向远大的人不应花费时间做分散精力的事情，应该为自己的梦想全力以赴。

有这么一个乡村邮差。有一天，他在山路上被一块石头绊倒了。他发现绊倒他的石头形状很特别，于是他把石头放进了自己的邮包里。当他把信送到村子里时，人们发现他的邮包里除了信之外，还有一块沉甸甸的石头。

大家觉得很奇怪，问他为什么要带着这么沉的一块石头。邮差取出那块石头，向人们炫耀："你们看啊，这是一块多么美丽的石头，它的形状这么特别，你们以前一定没有见过这样的石头。"

人们听到他这么说，嘲笑他："这样的石头山上到处都是，你带着这么沉的石头到处走，负担多重啊，不如把它扔了吧。如果你想要捡这样的石头，山上的石头足够你捡一辈子了。"

邮差不理会人们的嘲笑，不肯扔掉那块美丽的石头。他晚上回到家，躺在床上，脑海里忽然冒出这样一个念头：要是我能用这样特别的石头建造一座城堡，那该有多美啊！

从那以后，他每天除了送信之外，都会带回一块石头。过了不久，他收集了一大堆千姿百态的石头，可要建造一座城堡，这些石头远远不够。

邮差意识到，每天收集一块石头的速度太慢了。于是，他开始用独轮车送信，这样每天送信的同时，他可以推回一车石头。他的行为在人们看来简直是疯了，无论是他的石头还是他的城堡，都受到人们的嘲笑，可他丝毫没有理会人们讥讽的目光。

在20多年的时间里，邮差每一天都坚持找石头、运石头和搭建城堡，在他的住处周围，渐渐出现了一座又一座城堡，错落有致，风格各异，有清真寺式的，有印度神庙式的，有基督教堂式的，等等。

后来，邮差的城堡被法国一家报社的记者发现，这位记者撰写了一篇介绍文章。一时间，邮差成为热门的新闻人物，许多人都慕名前来参观城堡，甚至连当时最有声望的毕加索大师都专程赶来。如今，他的城堡已经成为法国最著名的风景旅游点之一，也就是著名的"邮差薛瓦勒之理想宫"。据说，城堡入口处就是当年绊倒薛瓦勒的那块石头，石头上还刻着一句话："我想知道一块有了愿望的石头能够走多远。"

从一份简单的工作到一项执着的事业追求，其间总是存在着梦想与现实的对立，来自舆论的不解和压力，这些都是让人苦恼的问题。孙正义在伯克利读书时，父亲孙三宪生病住院，而孙家依然坚持每个月给孙正义汇去20万日元的生活费，这让孙正义心里很不是滋味。为了减轻家里的负担，孙正义决定自己出去赚钱，他要干一番事业。

可是怎么才能赚够生活费呢？而且自己之前还向未婚妻大野优美夸下海口要养活她，似乎只有打工这一条路。当时很多大学生都会选择在课余时间出去打工，一方面可以补贴生活费，一方面也算是提前体验社会生活。不过孙正义没有选择打工，不是因为觉得辛苦，赚的钱太少，而是当时还有更重要的事情要做——学习。

孙正义将绝大部分时间和精力都用在了他口中的大事上，他拼命读书，规定自己每天只有5分钟的时间可以不用学习，而是用来思考创业点。总不能靠着这短短的5分钟打工吧？事实就是孙正义不仅依靠这5分钟养活了自己和优美，而且还有盈余，因为他每个月能赚1000多万日元。

当孙正义的同学听说他每天花费5分钟，每个月赚到1000多万日元时，忍不住说了一句"foolish"，因为在旧金山只有毒贩才有这样的本事。大家都以为孙正义为生活所迫，不惜铤而走险贩毒去了。后来大家才知道，孙正义是靠发明专利才能每个月赚到这么多的钱。

孙正义靠着自己日常累积的发明灵感，给自己带来了不菲的收入。因为有了财务自由，孙正义将大部分时间花在了实验室、图书馆、计算机房里，为自己的互联网事业拼搏。而此时，大多数人还在餐馆兼职打工。

2014年10月26日，一家名叫"叫个鸭子"的烤鸭店在北京建外

SOHO开张。你可能还没听过"叫个鸭子"。它是做烤鸭外卖O2O的，厨房在北京工体，以此为中心，满北京城地送烤鸭上门。

"叫个鸭子"的创始人、CEO曲博，1985年生，北京人。2003年9月，18岁的曲博成功创办和运营了燕姿歌迷俱乐部，2004年进入百度，做社区、策划营销，在百度一待就是10年。虽然有着不菲的工作收入，但在曲博看来，打工并不能让自己快乐，创业才是自己真正想做的事情，"年轻人如果有一次创业机会是很好的。"在经历多年准备后，曲博终于积攒了足够的经营经验和启动资金，"叫个鸭子"应运而生。

"叫个鸭子"的办公地点选在建外SOHO，这是因为黄太吉创始人赫畅的邀约。未来，他们打算一年内在北京开4～5家这样的自提门店，布局在东城、西城、亚运村。每一个自提门店下可能有3～4个配送点。产品下一步正在研发鸭零件，准备做塑封包装的售卖。

人因坚持理想而伟大。理想就像阴天里的一朵向日葵，虽然在现实里辗转，在挫折中游走，但我们要像坚持初恋一样坚持理想。

【孙正义说】

人生只有一次，值得你仔细设计。

人因坚持理想而伟大。

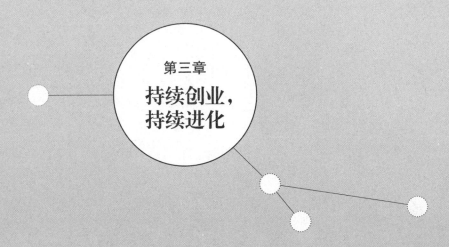

第三章
**持续创业，
持续进化**

我们最大的兴趣现在就是投资亚洲公司，中国对我们来说提供了最多的机遇，我希望能够帮助那些小的年轻的公司，互联网公司，尤其是中国的网络公司。只要你们有热情有激情有梦想，我是愿意来支持你们的。希望能够和你们一道成功。

"野心"的膨胀必须足够强烈

刚开始时，我什么都没有，甚至连干什么都没想清楚，但是人生就这样上路了。别的我不清楚，我只知道我要成为全日本第一的企业家，成为留名历史的人。我能有今天的成功，得归功于当时无知的梦想和野心。

其实我大概30年之前创立了软银公司，我在创建这个软银公司的时候，即没钱也没有经验，同时也没有生意上的关系。我的热情就是要成为在日本甚至全球非常成功的人士，来提供新的技术，给人们提供新的生活方式，主要是生活使用电脑的力量，未来使用因特网的力量，来帮助我达成我的梦想，当时我是这样想的。

——孙正义

男人必须有野心，孙正义就曾被伯克利的导师称为"野心家"。野心不是不择手段，不是处心积虑，用得好就是催人奋进的良药。强烈的野心是事业的起点，正如小火苗尽管不能释放巨大的光和热，但能让人对目标产生"想要"的渴望。

有一位年轻人向大哲学家苏格拉底请教成功的秘诀。苏格拉底并没有回答他，第二天，苏格拉底把这个年轻人带到一条小河边。

苏格拉底扑通一声跳进了河里。年轻人很奇怪，大师不告知我成功的秘诀，却要教我游泳吗？看见苏格拉底在河中向他挥手示意，年轻人稀里糊涂地也跳进了河里。没想到，他一跳下来，苏格拉底立即用力将他的脑袋按进水里。年轻人用力挣扎，刚出水面，苏格拉底再次用更大的力气将他的脑袋按进水里。年轻人拼命挣扎，刚出水面，还来不及喘气，没想到苏格拉底第三次死死地将他的脑袋按进水里。

年轻人感觉大师不像是在开玩笑，再这样下去自己就要命丧河中了！求生的欲望使他用尽全身力气再次挣扎出水面，不等苏格拉底反应就疯了似的往岸上跑。爬上岸后，他惊魂未定地指责还在水里的苏格拉底说："大师，你到底，到底想干什么？！"

苏格拉底慢慢走上岸，问年轻人："你在水里最想得到的是什么？"

年轻人回答说："空气！没有空气我就淹死了！"

苏格拉底说："这就是秘诀。你必须对成功有着强烈的欲望，就像你有着强烈的求生欲望一样。"

要敢做别人不敢做的梦，很多时候最终的成功往往超出了别人的预想。"想要成功"是事业的第一步，如果连这个念想都没有的话，怎么去付诸实践？

在日本，孙正义以"拥有盲目自信和野心"著称，不论是在美国求学还是经营软银的过程中，他都曾经放出不少狂言，甚至有"吹牛大王"的绰号，而这个特质来自父亲孙三宪的"天才教育法"。所谓"天才教育法"，是指孙三宪经常夸赞儿子孙正义为天才的一种夸张式的鼓励教育法。

也许是因为待在孙正义身边的时间太少的缘故，父亲孙三宪在实行他独创的"天才教育法"时，有些不顾情形地给孙正义盲目表扬。至今孙正义依然记得自己刚刚会数数没多久，父亲仅仅是听到他数出了"一、二、三……"，就会大惊小怪地叫道："哎呀，我的儿子不就是个天才嘛！"

当问起父亲为什么总是这样不顾事实地夸赞孙正义时，他认为只要不停地说自己的孩子是天才，那么也许孩子们真的会因此把自己当作无所不能的天才。"只要我想做，就没有做不到的。坚决不满足于普通，因为我是全日本第一的天才"，孙正义后来形成的强烈的自信就是小时候父亲种下的种子。等到长大，父亲的鼓励早已根植于孙正义心底，他也认同"自己是一个干大事的人"这样的想法。

现在看来，孙正义刚创业时的野心无疑是非常离奇的，超出了常人的理解，但他还是从未放弃过自己那看似"不切实际"的梦，因为他坚信，凡能成功的人必然心怀着强烈的成功欲望。"我成功是因为我志在成功。"

心理学上有一个概念叫作"期望强度"，指的是一个人在实现自己想要达到的既定目标过程中，面对各种困难和挑战所能够承受的心理限度，简单地说就是成功欲望的强烈程度。如果一个人的期望强度很低，那么他在残酷的竞争和艰难的挑战面前很容易就会缴械投降；而一个人的野心足够大，他对自己的未来就会有很高的期望强度，那么就能扛住所有痛楚。

稻盛和夫在刚开始创办京瓷公司的时候，成为"世界第一大陶瓷公司"的目标不可谓不大。当时的京瓷公司还只是初创的小企业，在日本本土争做陶瓷业第一把交椅尚需时日，更何况是世界第一。稻盛和夫作为创办者，在技术方面有经验和见地，但管理知识和经验可以说是非常少。当时，对于这个宏大的梦想，公司既没有实施战略，也没有发展规划。可以说，"世界第一大陶瓷公司"只是一个不切实际的"野心"而已。

然而，他认为无论多么遥远的梦想，只要你"想"得到，也就是有勇气、有野心一路坚持下去，就一定能够实现。他经常在日常的工作、联欢会等各种场合反复地对员工说起这个事业梦想，久而久之，他个人的这个梦想也成了全体员工的梦想。

郝鸿峰，酒仙网董事长兼总裁，2009年他在清华大学EMBA课程中产生了对电子商务的兴趣，随后创办酒仙网。

创办之初，作为一名从事传统行业的人士，郝鸿峰没有技术，没有资源，没有经验，几乎什么都没有，只有野心。在盲目的野心驱使下，郝鸿峰带领团队从山西太原起步，随后以北京为中心，逐渐扩大酒仙网的影响力，随后与全国80%规模以上酒企建立深度合作关系，并逐步实现了全品类扩张，充分满足消费者个性化需求。

郝鸿峰还不断革新酒仙网的运营模式，除了整体运营酒企在酒仙网官网、天猫、京东等平台上的旗舰店之外，还提供产品开发、品牌宣传、产品营销、物流配送、售后服务等一系列配套服务。郝鸿峰还成立了酒快到子公司，启动O2O战略，进一步完善了对酒企的电商综合服务，帮助线下经销商分享电子商务红利。

经过多年的摸爬滚打，酒仙网已成为目前中国最大的酒类电子商务综合服务公司。

孙正义认为，成功来源于"我一定要"的强烈欲望，必须对成功有着强烈的渴求，将定下的目标牢牢刻在心里，所有的思想和行动都围绕着这个目标进行；滋养自己对成功的野心，使之强烈地渗透到潜意识里，让自己一天24小时都专注于定下的目标，即使在睡梦中也念念不忘，也就是我们常说的"做梦都在想"。

【孙正义说】

男人必须有野心。

我成功是因为我志在成功。

入行前，花足够的时间做调查

为了选对行业，多花一点时间也是值得的。

——孙正义

"男怕入错行"，是人人都懂得的道理，选对行业，乘势而飞；选错行业，一事无成。事实上，现代社会中，绝大部分人不论是找工作还是创业，都只是把事业当作一份发薪水的差事，只把工作当作"饭票"。之所以会这样，与创业环境与工作压力有很大的关系。

在日本，由于市场经济已经高度成熟，创业竞争激烈。在焦急情绪的影响下，很多年轻人的创业十分盲目，还没有想清楚就选择开始，很容易进入两个创业误区：

1. 跟着感觉走，缺少前期准备

初出茅庐，既没经验又缺乏耐心，创业往往跟着感觉走，觉得某个行业有钱赚，或听别人说某个行业好，就将钱往里扔。很多人都因缺少市场调查分析等投资前期准备，入错了行而弄得血本无归。

2. 眼光太高，对小生意不屑一顾

很多人在创业时都将目光投向高、精、尖产品，不愿意做小产品，不愿意研究小项目，一开始就希望赚大钱，认为小打小闹成不了大气候。其实，世界500强企业中的美国吉列、麦当劳，当家产品也不过是剃须刀和汉堡包这样的"小玩意儿"。生产螺丝刀也好，绣花针也好，做成规模、做出品牌就有很大的前景。

年轻人在考虑创业的时候，考虑得最多的是这个行业能不能赚钱，而不是自己能不能做得了。在这种心态的指引下，很多创业者盲目选择了与自身能力并不适应的行业。

这些年轻人所经历过的痛苦，孙正义感同身受。孙正义在创业时也同样面临着这个问题：是否跟随大流进入当时最热的金融、制造行业？要知道，孙正义可是伯克利的经济学高才生。

不过，孙正义属于"谋定而后动"的一类人。也许很多人的成功开始于一次偶然的选择，但对于孙正义来说，运气、偶然都是不切实际的名词，未来的方向必须以理性做指导。

比如先看哪个行业适合发展，要结合自己的内部资源和外部环境来考虑，选出自己有可能进入的几个行业，然后有针对性地进行分析考虑，最后确定自己应该投入哪一个行业。

找准细分领域中的一个空白点，用整体产品策略跨越鸿沟，站稳脚跟后借助传播的力量开拓市场。我们可以看看快书包是如何从线上书店巨头中抢到消费者的。

快书包在2010年6月9日上线时只卖书，但书的品种和规模都无法与电商巨头相比，而且快书包上的图书价格也无法与现有的线上书店拼低价。更重要的是，当当、京东、亚马逊已经成了大多数消费者网上购书的首选，快书包如何能在巨头林立中杀出重围？制胜的关键在于，快书包发现了主流市场中的一个空白点。

快书包发现，在线上购书的消费人群中有相当一部分是白领，价格对于他们并不是购买的决定因素，"送得太慢"才是他们在网上购书的最大痛苦。正是这个细小的空白点，让快书包有了机会。快书包首先选择主流市场中爱书，并且年购书金额达到300元以上的用户。同时，快书包只选择书价偏高的精品类书，放弃了已经硝烟弥漫的大众书市场。"快"——承诺1小时到货的"限时送"和配送时间自主选择的"定时送",突破电子商务配送的极限。正是这样的定位使快书包从线上书店巨头处争取到了大量用户,积累了口碑。

2012年快书包得到了新浪微博基金900万元的投资,这个数目不大但已经足够让快书包在电商主流市场中开拓。现在快书包以此为基础逐步拓展自己的消费品门类,不只卖书,另有零食和鲜花频道,它由一家书店慢慢地向精品便利店转变。

其实,孙正义早在上初中的时候就开始思考自己的人生道路,并且立志将来一定要做一番大事业,成为在日本历史上留名的男人。豪言壮语是每个少年都有的,计划与执行力则是实现梦想的关键。当时孙正义迷恋击剑,是学校击剑俱乐部的"剑客",一则流传于击剑界的故事让他对自己的梦想有了更进一步的认识。

日本近代有两位一流的剑客,一位是宫本武藏,另一位是柳生又寿郎,宫本是柳生的师父。

当年,柳生拜师学艺时,问宫本:"师父,根据我的资质,要练多久才能成为一流的剑客呢?"

宫本答道:"最少也要10年吧!"

柳生说:"10年太久了,假如我加倍努力地苦练,多久可以成为一流的剑客呢?"

宫本答道:"那就要20年了。"

柳生一脸狐疑,又问:"如果我晚上不睡觉,夜以继日地苦练,多久可以成为一流的剑客呢?"

宫本答道:"你晚上不睡觉练剑,必死无疑,完全不可能成为一流的剑客。"

柳生颇不以为然地说:"师父,这太矛盾了,为什么我越努力练剑，成为一流剑客的时间反而越长呢？"

宫本答道："成为一流剑客的先决条件，就是必须永远保留一只眼睛注视自己，不断反省自己。现在你两只眼睛都看着一流剑客的招牌，哪里还有眼睛注视自己呢？"

是的，即使有一心向前奔跑的心，也要注意抬头看路，否则一头扎进歧路，只会越走越远。受其启发，孙正义在大学毕业后，并没有着急开始自己的创业，而是慢条斯理地调查日本的各行各业。

到底要从哪里开始自己的事业呢？就像给自己挑选终身伴侣一样，孙正义开始物色自己的新事业。这并不是一项简单的工作，必须进行严谨而细致的市场调查不可。

孙正义铺开纸张列出了能让自己倾心的事业的标准：

1. 必须是朝阳产业。

2. 必须是值得自己投入一生的。

3. 这个行业必须是自己感兴趣的，能够让自己在未来50年里全身心投入。

…………

孙正义为自己写下了25项事业标准。然后他开始查阅资料，拜访形形色色的人，听取经验，最终挑出了40个候选行业。

在定下40个行业之后，孙正义开始对它们进行细致的市场调查。他先是成立了一家个人事务所，后来为了便于展开工作，他成立了一家公司，名字叫作Unison World。看起来，孙正义似乎是一家公司的老板，但事实上他的公司只是为了方便调查而成立的，没有任何收益，所以实际上他是个没有工作，没有收入的人。不过，孙正义知道，这段时间是必需的，那是高飞前的潜藏与蛰伏期。

40个行业，每一项都做出了详细的组织结构图，并且做了未来10年的损益预计平衡表、资金周转表、资产负债表，然后他将这些数据与自己定下的项目选择标准逐一对照打分，确定它们是否符合自己的心中所想。每一个行业的调查文件加起来都接近半米厚。

其实以孙正义的能力来说，当时即使随便选一个产业投入，细致经营也未必会输，但他不想因为压力就把自己的未来交给运气。对他来说，这是一项终生的事业，以他的脾气，无论选择了哪一项他都会全身心投入，而一旦做起来就会是好几年，因此"万一失败了，就要从头再来"。不是害怕从头再来，只是人生短短几年，他不想浪费时间。

终于，一年半的时间过去了，在市场调查文件已经堆成十几米高的小山时，他终于找到了出路——计算机软件批发。

现在看来，孙正义把握未来的能力无疑是高人一筹的，在选择创业行业这一问题上，孙正义有自己独特的思考模式：

1. 把自己的性格想清楚

如果创业者的性格是急躁型的，适合做贸易型的项目。这种类型的人不应选择生产型的项目，因为生产型项目需要很长时间的市场适应期，需要一个市场对创业者品牌的认知过程。为了确保项目的长期发展，需要不断地扩大规模，急躁型创业者可能等不了那么长的时间，一旦创业者撑不住，设备、半成品就一文不值了，创业者必然陷入负债累累、合同纠纷不断的泥潭之中。此外，娱乐服务型项目也不适合急躁型的创业者，因为现在的客户越来越挑剔，有时候刁钻的客人会让急躁型创业者暴跳如雷，这种态度会导致客户越来越少，最终的结果必然是关门大吉。当然，创业者如果有合伙人，并且相互之间性格能够互补，也是可以选择自己性格不允许的项目的。

2. 把自己的特长想清楚

特长、专业、才智、阅历在某种情况下会成为选择项目的主要根据。这有利于创业者一开始就进入娴熟的工作状态，使创业者的初始创业成功率高出很多。当然，创业者如果具备较高的才智和较丰富的阅历，确定自己能力非凡，也不一定要选择自己熟悉的东西，事在人为，因为这样的创业者在短期内就会熟悉所选择的行业。

3. 把自身的资源想清楚

丹麦的乐高玩具公司是玩具业的巨擘，在乐高统治之外的长尾市场中就有许多企业受益，美国石臂玩具制造公司就是其中之一。

乐高作为传统大型制造公司，为了利润最大化和尽可能地节约成本，遵循着工业化生产的经典路线：以规模化生产，零部件生产标准化，并采用流水线操作模式。因此，公司不可能在生产每一种玩具零部件时都达到规模经济性的要求，也不可能大批量地生产所有乐高玩具迷们喜欢的所有品种。石臂公司正是瞄准了乐高"不屑"照顾的消费者。

如果说乐高关注的是主流的消费者，那么石臂制作的则是小众产品，它的客户则是"长尾"，他们有一个共同特点：觉得乐高提供的标准玩具包不够酷，他们的要求超出了乐高标准化生产的要求，比如20世纪的武器，于是石臂公司专注于生产这些武器搭配乐高的玩具。这些顾客的年龄层要比乐高公司的顾客群更广一些。他们一般在8~12岁，甚至更高。这些孩子也更有机会发展成为公司的铁杆粉丝。现在，石臂已经发展成为一家利润丰厚的玩具公司，英国、澳大利亚、瑞典、加拿大和德国都有经销商。

石臂公司和同类企业以小众市场作为目标，这些市场往往为行业巨头们忽略。中小企业可以在保持自己产品专一性的前提下避开竞争的锋芒，从细分市场中找到机会。

系统地说，资本少的创业者可以选择最简单的贩卖式的创业方法。如在大城市批发些服装、杂货等去比较小的城市出售。对于特色类的东西一般情况下市场虽小，但利润还是很不错的。

资本中等的创业者可以选择依靠或者依托别人的现有资本、生产材料等进行创业。如很多企业效益不是很好，可以租赁他们的车间或者在他们的企业附近生产制造同类的产品。因为你的规模比他们的小，成本自然会低些，自然价格便宜。

资本雄厚者可以选择那些同类产品少的，项目前景很好的行业，如环保行业、保健行业、妇幼行业等。这些行业市场的需求很大，但是产品很少或者不够完善，拥有很大的发展空间。

想得清才能看得清，看得清才能走得远。"摸不清的行业，再热闹也不能进"，所有创业者都应当谨记这一点。

【孙正义说】

为了选对行业，多花一点时间也是值得的。

不是害怕从头再来，只是人生短短几年，不能浪费时间。

选定行业，不愚直无法成长

在选定的行业内坚持50年不动摇。

——孙正义

"男人光有聪明是不行的，有时候需要死脑筋一下。"在软银，这是经常可以听到的一句话。"无志者常立志，有志者立常志"，好的创业火花从来就不缺乏，但能够成功的永远是坚持到最后的人，要有一股愚直的劲。

所谓"愚直"，不是愚蠢，不是愚昧，更不是"愚者千虑，或有一得"；它更像是愚公移山的坚韧不拔，大智若愚的内秀。创业者需要智慧，需要精力，需要创意，最终比拼的还是一股愚直、不转弯的韧劲。没有愚直，再好的想法也终究停留在脑海里。

创业者在创业过程中总会遇到各种各样的压力，如何正确看待压力，将压力化为无形是每一个创业者都需要正视的问题。怎么做？白手起家的孙正义十分认同下面几种方法：

1. 接受压力，不要逃避

在遇到难题的时候，不要逃避而是要勇敢面对。不管付出什么样的代价，一定要下决心完成任务，坚信压力是创业成功必不可少的因素。

2. 以诚恳的态度审视问题

创业者要睁大眼睛从各个角度来看待形势。当面对困难需要解决的时候，要以诚恳和谦卑的态度，根据实际情况，找出解决问题的方法。

3. 坚定信念，保持积极的态度

创业者即使是在最难熬的逆境中也要永远保持快乐的心情、积极的态度，并充满热忱。要拥有开阔的心胸，把所有的疑虑、负面的想法从心中根除，不能因为接踵而至的挑战就朝负面的方向想，变得悲观而愤世嫉俗。

事实上，孙正义也是这样做的。"1981年9月，我在离家很近的福冈县大野城市创立了软银公司。当时公司位于一个连空调都没有的陈旧建筑的二层。"在苍蝇满天飞的环境下,孙正义开始了软银帝国版图扩张的征程。

现在看来,如今"高大上"的软银集团当初是那样的寒酸,甚至连起步都走得歪歪扭扭。当时孙正义一穷二白,根本没有资金,他从银行贷了100万美元。这100万来之不易,孙正义跑了许多家银行,申请都被拒绝了。原因有些特别:因为他的姓氏。在日本十几万个姓氏当中,"孙"姓真的非常少见,对于日本的银行业务员来说,这个姓的陌生程度就好像它是来自火星一样。

"我是韩国人。"孙正义有些无奈。到最后他甚至产生了一种错觉,觉得也许得用自己的性命来做担保才会有效。

看上去好像贷款毫无希望,但是孙正义偏不信邪,死脑筋的他开始和银行死缠烂打,告诉银行自己的姓氏不应该成为卡住贷款的绊脚石。经过一番折腾,孙正义的公司在日本东京都千代区开张了,名叫Soft Bank——软银。今天这个名字代表一个时代,但当时它只是一个连像样的办公室都没有的小公司,而且孙正义还在公司开业的仪式上说了一番让人不敢相信的话,这一切都让他的公司显得有些滑稽。

公司成立那天,孙正义不知道从哪里弄来了一个苹果箱,站在上面对自己仅有的两名员工说:"我们的目标是,5年内达到100亿日元销售规模。10年以内这个数字要达到500亿日元。我们要让公司发展成为几万亿日元,几万人规模的公司。"

一番话说完,两名吓呆的员工,加上站在苹果箱上只有24岁的孙正义,沉默了许久。别忘了,这还是其他公司的办公室,其中可怜巴巴的两张桌子才是属于孙正义的公司财产。

后来,孙正义每天都拿公司的宏伟蓝图来激励他仅有的两名员工,也激励自己,两名员工没被"忽悠",赶紧辞职,另谋出路。

在他们看来，这个每天滔滔不绝的年轻人整天都在瞎吹牛！

很多年以后，孙正义在自己的推特上写下这样一句话：

我实现了自己当初的诺言！

是的，孙正义是喜欢吹牛，甚至在日本业界有着"吹牛大王"的绰号，但他最令人佩服的地方就是能让吹出去的牛成为现实。孙正义儿时的玩伴、日本朝日太阳能集团董事长林武志曾说："其实在我眼里他就是个吹牛大王，而且吹得比谁都厉害，关键是他知道怎样把自己吹出去的牛变成现实。所以说，他就是个天才，这点我们必须承认。"

借着这种韧劲，半年之内，孙正义就与日本42家专卖店和94家软件业者达成了交易，其中包括当时最大的软件开发企业哈特森公司，他甚至说服了东芝和富士通投资软银，公司规模由此迅速扩大。

每个人小时候都曾有一个大大的梦想，孙正义的"成为日本第一的企业家"的梦想同样是在小学时就有的。为什么孙正义最终实现了他的梦想，而绝大多数人却变得庸庸碌碌？能否始终坚持是关键因素。有这么一则关于梦想的小故事，告诉人们坚持的力量：

有个叫布罗迪的英国教师在整理阁楼上的旧物时，发现了一叠作文簿，它们是25年前31个孩子的春季作文，题目叫《未来我是……》。

布罗迪随便翻了几本，很快被孩子们千奇百怪的自我设计迷住了。比如，有个叫彼得的学生说，未来的他是海军大臣；还有一个说，自己将来必定是法国的总统；最让人称奇的是一个叫戴维的盲学生，他认为将来自己必定是英国的内阁大臣。总之，31个孩子都在作文中描绘了自己的未来，五花八门，应有尽有。

布罗迪读着这些作文，突然有一种冲动：何不把这些本子重新发到同学们手中，让他们看看现在的自己是否实现了25年前的梦想。说干就干，他在当地一家报纸上发了一则启事。没几天，书信从四面八方向布罗迪飞来。他们中间有商人、学者及政府官员等，更多的是没有身份的普通人，他们都表示，很想得到那本作文簿。布罗迪按地址一一给他们寄去。

一年后，布罗迪身边仅剩下戴维的作文簿没有寄出。他想，这个叫戴维的人也许死了，毕竟25年是什么事都有可能发生的。

就在这时，他收到内阁教育大臣布伦克特的一封信。信中说："那个叫戴维的孩子就是我。不过我已经不需要那个本子了，因为从那时起，我的梦想就一直在我的脑子里，我从未放弃过我的梦想，25年过去了，我已经实现了那个梦想。"

布伦克特的这封信后来被发表在《太阳报》上，因为他作为英国第一位盲人大臣，用自己的行动证明了一个真理：假如谁能把15岁时想当总统的愿望保持25年，那么他一定会实现那时的梦想。

回首孙正义的创业路，称之为"步步惊心"也不为过。但是孙正义始终相信，"我自己就是天才，将来一定会做一番大事"。这种超人的信心和韧劲让他显得有些不切实际，但是也让他能够数十年如一日地保持高昂的激情，"只要对自己不停重复梦想，成功就一定会到来"。

【孙正义说】

男人光有聪明是不行的，有时候需要死脑筋一下。

我自己就是天才，将来一定会做一番大事。

信誉是企业的底层架构

丢什么也不能丢人。

——孙正义

2008年，著名视频网站YouTube上流传着一首名为《联合航空毁了我的吉他》的歌曲。仅仅一天，它的点击率就超过15万，不到一个月，就有500万人听过这首歌。2008年年底，这首歌名列美国《时代周刊》评选的"年度病毒式传播视频榜"第七名。

从这首歌的歌名就可以知道它叙述的内容是一名旅客在乘坐美国联合航空的班机时被弄坏了吉他。当时，这名旅客托运了一把价值3500美元的吉他。当客机在中途转机降落时，旅客发现行李工搬运行李时粗暴地将行李扔在了地上，当时他就有不祥的预感。果然，到达目的地之后他发现吉他坏了。他就此向航空公司提出申诉，却被航空公司以"超过24小时申诉时效"为由拒绝了。虽然这名旅客不遗余力地与航空公司进行了9个月的交涉，但最终的结果依然令他失望。无奈之下，他写出《联合航空毁了我的吉他》这首歌，并放到了YouTube上。这首歌在网络上出名后，美国联合航空的许多潜在客户自然也看到了，但航空公司依然选择沉默。

直到最后的最后，联合航空公司才终于放下架子，决定解决问题，他们提出免费赔偿旅客的吉他，但是为时已晚，公司的形象和声誉已经随着那首歌的走红而跌到了谷底，公司的股价也因这次失败的服务而下跌了10%。

由此可见，诚信乃是商业之本。在日本，个人的信誉、企业的口碑显得尤为重要。

孙正义在商海闯荡了30多年，经历过无数危急时刻，但是1986年的"软银事件"绝对令他一生难忘。

1986年春，经过3年的顽强斗争，孙正义终于战胜病魔，回到软银的一线。不过，等待他的不是员工的鲜花与安慰，而是债务与矛盾。

自从软银成立以来，公司一直处于入不敷出的亏损状态，"那段日子我们通过银行贷款解救燃眉之急"。1984年，孙正义希望能够通过子公司开展一项商品价格数据库化的业务，不幸的是，这项业务因为资金、人力等原因失败。再后来，孙正义为了扭转败局，开始试水出版业，软银甚至出版了《Oh！PC》和《Oh！MZ》等杂志。但是因为孙正义本人忙于治疗，无暇顾及杂志，《Oh！PC》和《Oh！MZ》在很长时间内销量低迷，内容也相当粗制滥造。受到这些不良业务的影响，等到孙正义出院时，他身上已经背负超过10亿日元的巨额债务，其压力可想而知。

不仅如此，公司人事也陷入混乱，由于孙正义隐退二线已久，公司高层早已是门派林立，甚至有一帮人联合起来反对孙正义，大有"逼宫"的意思。孙正义刚回公司没多久，20多名公司管理层和员工联合起来提交辞职信，"软银事件"爆发。

"我一直很信赖的20名能力出色的高管和员工一起提交了辞职信。他们说是要独立出去，自己开办公司。这是背叛。但是我压制住自己的屈辱感，一直挽留他们。不过最终还是没能留住。"坚强的孙正义回忆起当初的事情时，依然感到十分寒心。

面对这样的烂摊子，一边是巨额债务，一边是即将分崩离析的软银，大病初愈的孙正义似乎只有一条路可以走：宣布破产。

不过孙正义考虑的不是自己会不会成为一无所有的穷光蛋，而是别人会如何看待自己。要知道，日本是一个重视公共信誉的社会，商业领域中尤其如此。一次创业失败也许真的不算什么，但是这样草草收场，无疑会给投资人和客户留下坏印象：孙正义也不过是个不守信用的"江湖骗子"。

没有别的出路，只能面对。孙正义决心不再向投资人隐瞒软银面临的困境，他向投资人阐明了当下的状况，并且恳求投资人伸出援助之手。在坦承形势之后，孙正义着手提高软银的产品质量，主要是《Oh! PC》和《Oh! MZ》两本杂志的质量。为此，孙正义采取如下的改进措施：

在电视台做广告，增加杂志的知名度，让更多人知道它们的存在；提高文稿的质量，消除错字、别字、漏字；重新设计封面和插图，以期美观；增加页数，丰富杂志内容；下调定价，从原来的680日元降为580日元。通过内外整顿，软银逐渐从濒死的状态被拉回。

细思孙正义做的挽救措施，与下面几点原则不谋而合：做不了的事情不轻易承诺，答应了就要做到；不喊虚的口号；不用不道德的手段；不要"小聪明"；产品或服务的诚信代价就是品牌的成本。

有一天，一个法国农场主自驾车从农场出发到德国去。一路上，他的心情很不错，边开车边吹着口哨。然而，在法国的一个荒村，他的心情突然一落千丈，因为汽车发动机出了故障。这可是奔驰车啊！农场主心情糟糕透了，而且很生奔驰公司的气。但再生气也不管用，总不能把车丢在这荒村。无奈之下，他只好向奔驰公司求援。这个地方离奔驰公司太远了，公司是否会派人来修，他心里没底。

费了好大的功夫，他终于用汽车里的小型发报机联系上了德国奔驰车总部。奔驰公司称立即处理。虽然说"立即"，但路途遥远，也不是一下子能到达的，农场主沮丧地坐在车里发呆。结果，意想不到的事情发生了：一个小时后，天空传来了飞机的声音，原来，奔驰汽车修理厂的检修工人在工程师的带领下坐飞机赶来了！

"对不起，让您久等了，我们会在最短的时间里把车修好，请您再等一会儿，马上就好！"工程师一行人一下飞机马上表示道歉，并立即投入检修工作。

技术人员一边安慰农场主，一边动手检修。农场主一边看着他们修，一边心里直打鼓，他盘算着这得需要多少修理费，开飞机来的成本可不低，万一要价太高，超过了口袋里的现金怎么办？他们的服务态度不错，技术看来也很好，可开飞机来修车，是不是太不合算了？我该不该给他们提个建议，让他们以后别开飞机去修车了？

汽车很快就修好了。"多少钱？"农场主有点胆怯地问。

"免费服务。""免费？"农场主不敢相信自己的耳朵。工程师说："出现这样的情况，是我们的质量检验没有做好，我们应该负全部的责任，为您提供无偿的服务是我们应该做的。"

孙正义同样把信誉当成软银的生命，有时比他自己的生命还重要。他认为，信誉是树立品牌的关键。在当今市场，从牙刷到理财服务，每样商品都有成千上万种选择。由于产品、服务和技术如此易于模仿，产品、服务的同质化现象日益凸显，企业信誉成为决定顾客购买意向的主要依据。企业卖的是信誉，而不仅是产品。消费者给予企业无任何条件的赞扬，是最可贵和最可靠的市场资源。

【孙正义说】

软银的信誉比我的生命还重要。

没有别的出路，只能面对。

越是迷茫，越要做明亮的选择

4～5年前，我们还是一家亏损的公司。

一开始，我迷茫于"30年之后会怎样"这个问题，然而越是迷茫就越要往远处看，就越能看清洪流中的未来。我们考虑长远一些，彻底考虑一下300年后的人类的生活状态，社会、技术的进化，大约花费了1年聚集国内外的才智来考虑这个问题。

我们认为烦恼、想象、创造是人类的特权，电脑今后也将拥有自学能力，电脑自己编程的时代将会到来，今后的世界将像科幻小说一样，脑构造计算机一定会诞生，能比人类更加敏锐地洞察和发明，搭载这种计算机的机器人会超过人类，不与其共存就没有未来，我相信人类与优秀的机器人能够幸福地共存。

——孙正义

孙正义曾经做过一两天的世界首富，相信很多人都不知道他曾有过这样辉煌的时刻。1995—2001年，在欧美及亚洲多个国家的股票市场中，与科技及新兴的互联网相关的企业股价快速上升，在2000年3月10日纳斯达克指数到达5132.52的最高点时到达顶峰。受到泡沫膨胀的影响，孙正义一度超过比尔·盖茨，成为世界首富。

但是，很快他又跌回了谷底。

1999—2000年年初，利率被美联储提高了6倍，出轨的经济开始失去了速度。纳斯达克此后开始小幅下跌，市场分析师们却说这仅仅是股市做一下修正而已。高科技股的领头羊如思科、微软、戴尔等数十亿美元的卖单碰巧同时在3月10日早晨出现。卖出的结果导致纳斯达克3月13日一开盘就从5038跌到4879，整整跌了4个百分点。

3月13日的大规模初始批量卖单的处理引发了抛售的连锁反应，投资者、基金机构纷纷开始清盘。仅仅6天时间，纳斯达克就损失了将近9个百分点，从3月10日的5050掉到了3月15日的4580。泡沫破裂也与1999年圣诞期间互联网零售商的不佳业绩有关，零售商的业绩在3月份上市公司进行年报和季报时被公之于众。

到了2001年，泡沫全速消退。大多数网络公司在把风投资金烧光后停止了交易，许多甚至还没有赢利过。萧条过后，留下了满地破产的互联网公司"尸体"，孙正义投资的公司也损失惨重，软银股价一度下跌到只有原来的1%，孙正义负债累累。

经过这样的惨败后，众多互联网行业从业者陷入前所未有的迷茫，这还是曾经如日中天的互联网行业吗？过了没多久，大批从业人员纷纷转战更为稳妥的实体行业，如制造业、能源行业等。

不过孙正义的动作出乎所有人的预料，即使摔了一跤，他也继续在互联网行业内大展拳脚：

2001年9月，软银开通宽带商用服务。

2002年5月，宽带服务突破100万条线路。

2003年5月，软银中国用最短的投资决策时间将分众传媒收入囊中，软银亚洲以4000万美元投资盛大。

2004年，孙正义入驻中国的PPTV；突破400万条线路，可以同时提供搜索、目录、组织、经济、汽车等多种服务。

到了今天，孙正义当时推出的宽带服务已经成了软银集团的支柱业务；而他投资的中国互联网企业也陆续成功上市，为他带来了丰厚的回报。

为什么在大家迷茫、撤退的时候，孙正义依然能够坚持在互联网行业耕耘？孙正义说："从100公里外看，那是毫不动摇的景色，近看就走入了迷局。"他看好互联网行业，他知道不管当下互联网如何波动，未来一定是越来越好，所以大胆投资。这就是一个企业家的远见。

那么，远见是什么呢？美国作家乔治·巴纳说："远见是心中浮现的将来的事物可能或者应该是什么样子的图画。"

拥有远见，就能够预言未来。缺乏远见的人会被未来弄得惊惶失措，变化不定会让他们无所适从，随处飘荡。每个人要看得更宽、更远、更深、更独特，然后才能抓住未来。

1994年，刚刚大学毕业没多久的王计生首次接触殡葬行业，那时的他对未来毫无规划，在就业的压力下进入了这个不讨喜的行业。人们对于这个行业的印象相当灰冷，王计生工作的福寿园也只是一家无人问津的殡葬企业。

面对这样的行业、个人迷局，王计生没有一味哀叹自己生不逢时，而是积极地思考行业的未来。最后他得出结论：丧葬业大有可为。一是因为中国人向来在丧葬上不惜钱，这将为丧葬行业带来丰厚的回报；二是中国已经进入老龄化社会，与身后事相关的产业必定会火爆；三是发达国家的墓园让王计生看到了中国墓园未来的模样。唯一的难题就是改变人们对于丧葬行业的歧视性看法。

1996年，一位上海的摄影师驴友余纯顺在新疆罗布泊徒步探险时不幸遇难，王计生敏锐地感觉到这将是一次令福寿园改变形象的机会。王计生向余纯顺的亲属表达了想要做一场公益摄影展览的愿望，刚开始余纯顺的家人都表示反对，他们认为这是一种比较商业化的行为。最后在王计生的劝说下，余纯顺生前摄影作品展得以举行。展览举办得很成功，通过新闻媒体也轰动了上海。展览结束后，王计生主动把募捐来的30多万元送到余纯顺家人手中。

这件事经过报道之后，不少公众对于殡葬行业，至少对福寿园的看法，有了很大的改变：殡葬企业并不是冷冰冰的，也可以很有爱，很温暖。余纯顺的家人也备受感动，主动要求把余纯顺安葬在福寿园。借着这股势头，福寿园接连打出温情牌，譬如在墓园的环境上做了很大改善。王计生认为，新时代的墓园要有公园一般美丽的风景。在这种理念的指导下，福寿园在墓园内种植了大量桂花、樱花、茶花、月季等花种，道路两旁也种满了郁郁葱葱的乔灌木。每到清明节前后，墓园中的樱花就会开放，花瓣随风飘零，正好契合前来扫墓的人的心情。福寿园每年花在墓园景观维护上的经费大约1000万元。王计生也要求尽量把墓穴安放在隐蔽的地方，让阳光、花朵、树木出现在人们的视野中，营造一种温馨而又略带哀伤的环境。

一番整顿后，福寿园的销售情况开始大幅度上升。除此之外，王计生还发起了"名人集邮"项目，汪道涵、阮玲玉、谢晋、章士钊等一大批名人的墓穴陆陆续续搬进了福寿园。对待这些名人的墓穴，王计生再次显示了他独特的眼光，为每一位名人设计最契合生前气质的墓穴。譬如郑如萍的墓前雕塑是一座斜着的十字架，横着的背景上刻画了当年西比利亚皮货店刺杀汉奸丁默村的场景；范长江的墓前则是他在《新华日报》创刊号上的题词："为中华民族之独立与自由而呼号。"

与此相对应，福寿园还与上海人文纪念博物馆合作，开设长眠于福寿园的名人遗物展览，包括书画金石大师吴昌硕的自用刻印、检察官向哲浚在东京审判时使用的打字机、著名音乐家贺绿汀的第一架钢琴，等等。

这就是远见。如今，王计生不仅仅改变了自己的生存状况，更改变了千百年来中国人对于墓园的排斥。

远见是一种动态的平衡。要在别人低落的时候看到美好的东西，在人们骄傲的时候看到灾难的到来，一定要把握这个平衡的度。

根据过去20年的观察，所有有成效的领导者都有预见他们必须完成什么的能力。这种远见变成支持任何努力的活力，强力推动他们冲破所有难关，不为外力所控制。

2000年，中国台湾的笔记本电脑总销量约为1200万台，占全球比例达51%以上，稳居世界第一的宝座。但是在拉大与第二产出国日本的差距后，危机逐渐显现，主要的危机之一是数量虽然大幅增加，可是获利水平直线滑落。

这种情况不只是小厂的问题，连广达、仁宝等大厂也难以避免。这当然和高科技产业产品生命周期短有关，然而，更重要的是众厂商降价抢订单，价格持续下跌，利润自然也会大幅降低。为了免于陷入长期的恶性竞争，最后难以自拔，众厂商若不想放弃这项产品，就亟思转型脱困。其中动作最快、最积极的当属广达公司。

广达公司以笔记本电脑起家，一向获利丰厚，曾创下每股获利28元的纪录，一度成为股王。然而在激烈的市场竞争下，获利虽仍居同业之冠，但已缩水不少，董事长林百里于是开始移转业务的重心。

广达公司的转向是多方面的，除了涉足无线通讯及手机领域之外，也朝液晶台式电脑、液晶显示器及主机板业务发展。在林百里的领导下，广达公司上述改变只花了一年多的时间，因此外界无不啧啧称奇，都认为不可思议。

远见是一个优秀的"船长"最重要的品质，他要能告诉大家什么时候风暴将会到来。秦朝的商鞅变法受人非议，宋朝王安石变法也不得善终，但两次变法都对社会产生了深远的影响。可以说，同时代的人并不具备商鞅和王安石的远见。怎样才能拨开眼前的层层迷雾，孙正义的做法是离得远一点，看得远一些。

【孙正义说】

烦恼、想象、创造是人类的特权。

越迷茫时，越要向远处看。

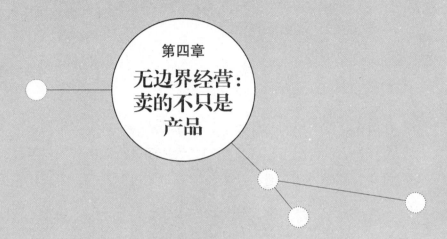

第四章

**无边界经营：
卖的不只是
产品**

我 不在乎我自己是死是活，也不在乎我的公司会发生
什么状况，不管我的身体、我的生意会怎样，我把
我300％的激情都专注在一个行业中。在我心底我是有这样的
信念的，这就是我的远见。

逆向思维，站在用户角度推销

这是我的发明，语言翻译机。

——孙正义

在伯克利读书期间，孙正义通过导师的科研力量，研发了一款语言翻译机，翻译机可以在日语和英语之间进行双向转换。不过，当时的语言翻译机还只是一个处于实验室阶段的发明，要想让它成为一款市面上的商品，必须经过实验室向工业化生产转化的过程。不过，这个过程需要雄厚的科研力量才能完成，因此孙正义需要说服一家实力惊人的科技企业买下语言翻译机。

刚开始时，孙正义信心满满，认为自己的"天才产品"一定会被各大企业哄抢。他在心中列出了一系列企业的名单，包括夏普、卡西欧、松下电器、索尼等50家企业。从这份名单不难看出，孙正义对于语言翻译机的销路是相当有信心的，他挑选的企业全都是当时业界首屈一指的龙头企业。

不过现实是残酷的。孙正义给50家企业发去的产品说明多数都像石沉大海一样，没有得到任何回应。不过好在还有几家表示有点兴趣，孙正义就带着产品一家一家拜访。

在拜访卡西欧的时候，孙正义遭遇了前所未有的讽刺。在此之前，虽然其他企业的技术负责人也会拒绝，但都是"技术不够完善"之类的托词。卡西欧是一家实力雄厚的科技企业，在去之前，孙正义就已经有被拒绝的心理准备，但是他刚开始介绍心爱的翻译机，卡西欧的技术负责人就轻蔑地称之为"垃圾"，觉得这样的翻译机一钱不值。这让孙正义怒火中烧，因为这个别人口中的"垃圾"可是他心血的结晶。他不明白为什么一家声誉颇高的公司，居然会用那样的态度对待来访者。

卡西欧不是第一家拒绝孙正义的，更不是最后一家。接下来孙正义继续采取同样的策略向松下电器的技术开发部长前田先生介绍语言翻译机。据前田回忆，当时的孙正义谈吐并不够成熟，在推销的时候也不能站在客户角度看问题，总是把翻译机当作宝贝一样介绍，却从没有想过松下为什么需要这个发明。

失败是最自然的结果，孙正义被松下电器拒绝了。虽然孙正义依然不依不饶地打电话过去推销，但在前田眼里这种行为只会加深他对孙正义的坏印象，"他就像一个顽固的推销员一样，不停地打电话过来"。

接连的打击让孙正义有些意志消沉，他开始怀疑自己的创意，难道真的是一钱不值的垃圾吗？看到儿子茶不思饭不想，父亲孙三宪决定和孙正义谈一谈。虽然孙三宪不懂得最新的技术，但是他一生经商，大大小小的行业涉足数十个之多，经验十分丰富。

孙三宪在听了孙正义的推销经历之后，找到了儿子的症结所在：功利心太强。孙三宪认为孙正义太过着急，总是站在自己的角度考虑问题，一心只想把语言翻译机卖出去换成钱，最后的结局就是没有买家。孙三宪启发孙正义：应该逆向思维，在推销时不要想着钱的事情，只是说清楚这个产品非常适合对方。

孙正义听取了父亲的建议，决定换个角度看问题。很快，验证"逆向思维"能否成功的时候到了。孙正义即将会见最重要的潜在买家——夏普公司。孙正义首先想到的问题不是如何将语言翻译机推销出去，而是被拒绝了该怎样表现自己，因为之前的失态表现给对方留下了相当糟糕的感觉。之后孙正义还模拟了夏普可能提出的各种问题，在做好充分准备后，孙正义和父亲孙三宪一起，面见了夏普中央研究院院长佐佐木先生。

孙正义抓住了这次机会，佐佐木几乎当场就决定拿出4000万日元购买翻译机，同时同意签署一份1亿日元的合约。

佐佐木回忆起当时的情景，依然感觉历历在目，因为孙正义给他的印象太过深刻。第一眼见到孙正义时，佐佐木可能没有想到他年轻到只有19岁，非常青涩。孙正义看起来有一点累，精神并不是特别振奋。

但是当孙正义开始进行产品介绍的时候，佐佐木完全被他吸引了。孙正义这一次介绍语言翻译机，一边操作，一边说明，细致而全面，他甚至提出应该在哪些地方对产品进行改进，这个产品会给夏普带来什么。佐佐木注意到，年轻人脸上的神情变了，眼神充满了活力，身体里有某种精神在流动。他能感受到年轻人对产品的情感，对他来说这件东西已经不再是赚钱的工具，也就是说，他并不单纯是为了赚钱才来夏普的。

就这样，夏普购买了孙正义的语言翻译机。

其实，反思孙正义推销语言翻译机的前前后后，之所以会有截然不同的结果，父亲孙三宪提及的逆向思维至关重要，否则孙正义依然会像之前一样死脑筋地推销产品。一般人的思维方式往往习惯于正面观察、顺向思考，忽视反面求异、逆向探索。显然，被大家所关注的，必有戒备，很难突破；被大家所忽视的，乘虚而入，易如反掌。聪明人要善于把力量指向对方意料不到的地方，即"出其所不趋，趁其所不意"，可望获胜。要做到这一点，应注意运用以下5种市场思路：

1. 揭短易长。大凡做商品广告，都喜欢自夸自己产品的好。然而，如果广告朝着相反的方向去做，往往会做得独具一格，不落俗套，引人注目，效果往往也会很好。

2. 返璞归真。给产品增添一些附加功能，有助于促销。当然，这种"归真"，不等于倒退，而是新的跃进。

3. 返旧还新。在中国香港，疲软了两年多的灯芯绒市场又开始复苏。之所以会出现这种现象，是因为人们对以往喜爱的东西怀有特殊的情感，并在时间的筛选中逐渐凝练、升温，一触即发。当然，这种"返旧"，已在新的条件下被赋予新的内容，堪称"还新"，以灯芯绒为例，如今流行的是高质量的净色粗条灯芯绒。

4. 人弃我取。产品的发展潮流趋向于轻、薄、短、小；与此相反的，视为险路。美国一家表厂偏向"虎山"行，其推出的一种电子表，个头相当于两只男用电子表，液晶显示的数字也大，博得人们的欢心，特别是患近视眼和老花眼的顾客，更乐意购买。可以说，取人之弃，独得其利。

5. 反打算盘。琵琶可反弹，算盘也可反打。产品的定价历来是成本加成本，也就是说，先设计、生产，后定价、销售。但是，犹太人认为，如果把这个程序倒过来，先对拟订的产品市场地位和顾客的购买心理进行综合分析，确定最佳的竞销价格，据此进行设计、生产，这种"模拟市场核算，实行成本否决"的"反打算盘"收到的效果很好。

逆向思维在其他行业同样有很好的效果。

在北美，能与星巴克共舞的咖啡并不多，绿山咖啡刚刚成立时也不过是美国佛蒙特州的一家咖啡烘焙公司，在行业巨头的夹缝中艰难生存。2006年6月，绿山咖啡以1.043亿美元收购了克里格公司。这成了绿山咖啡崛起的起点。克里格的咖啡机及其K杯饮品为绿山咖啡带来了巨大利益，因为这两种产品击中了咖啡爱好者们的痛点。

在克里格发明他的咖啡机和K杯之前,美国人都如何饮用咖啡呢?花上一段不短的时间称量咖啡豆,磨豆,然后一次煮上一大壶咖啡,一人分一杯。如果你不喜欢咖啡的口味,那就硬着头皮喝下吧,因为一次只能煮这一大壶。万一你独自一人在家,你还是得煮上一大壶,因为只有这一种规格可选。于是,浪费喝不完的咖啡成了一件令人头疼的事,更让人头疼的是享用完咖啡后清洗咖啡机的工作。

克里格也是一名咖啡爱好者,他针对美国人对咖啡的无奈想了3个问题:

1. 能不能让准备咖啡的过程更方便一些?

2. 有没有办法一次只煮一杯,以满足家庭成员的不同口味需求?

3. 清洁咖啡机的工作难道不能更轻松一些吗?

针对这些问题,克里格发明了单杯咖啡机和K杯。K杯长得像一个普通的纸杯,里面装有一个小的渗透液体的装置。把K杯放进单杯咖啡机里,你可以选择一杯模式,或者半杯模式,然后你要做的就是安静等待20秒左右,一杯味道醇厚的咖啡就做成了,现喝现饮不会浪费。而且用这种方法制出的咖啡和传统咖啡机出品的咖啡在味道上并没有太大差别。K杯为咖啡爱好者们打造了全新的体验,使用方便,防止浪费,而且不需要清洗。现在K杯推出了大约200种口味,可以满足不同消费者的需要。

在收购克里格公司之前,绿山咖啡是它的合作商。作为美国本土企业,绿山更了解用户的消费习惯和痛点所在。在收购克里格公司之后,绿山咖啡的业务分为绿山咖啡和克里格咖啡机及其K杯饮品。克里格咖啡机更是成为2009财年北美市场消费主流。K杯的出货量超过16亿。这两件产品也为绿山咖啡的毛利贡献了41%的增长点。伴随着销售业绩的提高，绿山咖啡的股价已经由8美元涨到26.67美元，成为挑战行业大佬星巴克的一股力量。

逆向创机就是反传统，要注意与传统的思维方式、经营方式相反而行。企业管理者需要注意的是，任何传统都有其内在矛盾运动及其必然的发展趋势，顺势而"反"，方可求胜。生活中充满着相反相成的情趣，并渗透于市场竞争的一切活动中。反变术实乃反顺术，反中有顺，反顺相辅。然而，逆向创机之"反"不是任意的，要从当地、当时的实际情况出发，审时度势，宜"反"则"反"，不可强求。

【孙正义说】

佐佐木先生，这是我的发明，语言翻译机。

我现在没有钱给你们，只有等我把翻译机卖出去才有钱。

找"高贵"的朋友搭把手

如果能搭上龙头企业的快车，就算什么都不做也会一路顺风。

——孙正义

在商界一直流传着一个经典故事。

一个农民打算给自己的儿子介绍女朋友，但是儿子并不领情。农民对他的儿子说："我给你介绍的女孩可是比尔·盖茨的女儿！"儿子听了之后觉得不错，欣然答应。接下来农民找到比尔·盖茨，并对盖茨说："我儿子想娶你的女儿。"盖茨听了很生气，但是为了保持风度，还是和气地说："我女儿还小呢。"农民说："我儿子可是世界银行的副总裁呢！"盖茨听了，觉得这个年轻人有前途，就答应了下来。农民又跑到世界银行总部，找到银行总裁说："你们这里还要副总裁吗？我儿子来行不行？"总裁当然一口回绝了。农民接着道："我儿子可是比尔·盖茨的女婿呢！"总裁听了之后眼睛一亮，最终答应了下来。最后，这位农民的儿子不仅娶了比尔·盖茨的女儿，还当上了世界银行副总裁。

当然，故事总归是故事，但是其中蕴含着一个深刻的道理，那就是学会借势。

谈到借势，孙正义从一无所有的穷光蛋到今天站在日本之巅，毫无背景、资源的他，无疑是个借他人之势的好手。

2007年，对于手机而言，无疑是最重要的一年。这一年元旦后的一个星期，苹果公司创始人、CEO史蒂夫·乔布斯发布了一款前所未有的智能手机——iPhone。2008年7月11日，iPhone3G面世。新一代iPhone并没有在内部结构上做出很大的改动，而是增加了一些支持3G网络的模块。这点燃了孙正义的神经，他敏锐地感觉到这款手机将会引爆市场。3G网络在日本普及后，渗透率达到30%，手机接入互联网将是未来发展的趋势，孙正义将自己实现目标的希望放在了智能手机上网业务上。

孙正义决定主动上门和乔布斯谈一谈。

谈判进行得很顺利，虽然孙正义付出了很大的代价，但是他依然从众多竞争者中抢到了iPhone在日本的独家代理权。

乔布斯回忆起当时的场景说："正义，你疯了吗？我们都还没和任何人谈iPhone呢，不过你很有眼光，你是第一个来找我的。这个产品是你的了。"

孙正义付出的代价就是将iPhone的绝大多数营收分配给苹果，自己只留下极少的一点，甚至可以说只留下部分弥补运营成本的钱。为什么一向精明的孙正义会吃这么大的亏？用孙正义自己的话说："只要是合理的亏，要大胆地吃。"

孙正义口中的"合理的亏"，意指他引进iPhone并不是纯粹为了赚钱，而是为了搭上苹果这趟快车，改变自身的形象。苹果在乔布斯的带领下，在世界范围内拥有大量的"果粉"，在日本也有着相当大的影响力，"高端""科技感""设计感""酷炫"等都是人们提到苹果时脑海中蹦出来的词汇，而这些恰恰是当时的软银最需要的。

软银自创办以来，受资源、背景的限制，多次以"低价"的策略打赢许多争夺战。但是凡事有利必有弊，由于长期依靠价格战"行走江湖"，软银给日本民众留下了"低廉"的印象，一度软银就是"低价货"的代名词。尤其在收购日本第三大移动运营商沃达丰日本后，这种坏印象达到顶峰，沃达丰日本虽然是第三大移动运营商，但是相比NTT和KDDI，显得有些低端。

这是孙正义不想看到的结果，因为他的理想不是成立一家"贩卖廉价货物"的公司，而是要成为全日本第一的高科技公司。为软银正名，为自己正名，引进iPhone是绝佳的机会。

其实，借势不仅仅是孙正义的独门法宝，全世界的企业家都明白借势的重要性。

以摩托车为例，同样是摩托车，为什么哈雷摩托车可以卖出高档汽车的价钱？若论机车性能，传统工艺下的哈雷实在不是什么高性能摩托，高昂的价格也让人望而却步，稍微懂得机车的人，都会在心中数出不少同价位但是性能胜过哈雷的摩托车品牌，但是不仅在中国，在美国和日本，哈雷同样是青年人的首选，占据了高端机车的一半份额以上。

其实高价的背后就是"自由""奔放"的"哈雷精神"。为什么一款摩托车会被赋予这样的精神内涵？其实是哈雷懂得借势。它在不断进化的过程中，逐渐赋予了自己自由和反抗的精神标签。借着一战和二战，哈雷成了美国军方和警方的摩托供应商，此时的哈雷也仅仅是高质量的摩托车而已，并没有更多的内涵。二战结束之后，由于大量退伍老兵的怀旧、伤感、消极情怀，哈雷开始被众多军人和青年人赋予不羁、抗争的标签。年轻人反抗现实，反思战争，聚集轰街的哈雷摩托成了他们的伙伴，最后成为一种生活方式的代名词。与此同时，哈雷摩托开始借力于电影和摇滚乐。当马龙·白兰度、布鲁斯·威利斯等大批风靡全球的好莱坞硬汉骑着哈雷，在夕阳下伴着轰鸣的声浪，一身酷装地出现在众多影迷面前的时候，年轻人如何能抵抗哈雷的魅力？结果自然是"缴械投降"。此外，20世纪六七十年代，摇滚乐在迎来自己黄金10年的同时，摇滚乐手也为哈雷机车增添了反抗的精神内涵。

就这样，在退伍军人、电影、音乐等元素的作用下，哈雷摩托从此不再是一辆简简单单的摩托车，它代表了一种精神，一种文化，一种生活方式。如果说那些时光离现在已远，那么哈雷文化的盛行不衰归功于哈雷公司的维护有方。

据相关报道，美国企业在借势营销上的总花费年增长率高过15%。在企业增加借势营销资金投入的同时，企业CEO、CFO等高层管理人员也越来越重视借势营销。其中，被调查的高层决策人员中，39%的人很认同借势营销这种手段。

1. 要敏锐地把握社会热点

借势营销成败的关键是对事件的利用，一个突如其来的事件可能成就一个品牌的经典，如2013年，湖南卫视左立的一首《董小姐》唱红之后，某薯片顺势推出"董小姐"薯片就大获成功。

2. 要与产品性质相关

正如在男人味十足的NBA现场或F1赛车现场不可能出现女性产品广告一样，借势营销同样涉及产品相关性问题。纵观成功的借势营销案例，无不是事件本身与产品有着千丝万缕的联系。蒙牛酸酸乳"傍上"超级女声，是因为酸酸乳的消费群体是16～20岁的男女，与超级女声的观众群高度重合，而超级女声所倡导的"勇敢表达自己"的理念正与蒙牛赋予酸酸乳的品牌性格不谋而合。

iPhone成为软银转变自身形象进而打击对手的最有力武器，帮助孙正义扫荡了对方的运营商代收业务。软银由此为日本第一家在数据收入上超过语音服务收入的移动运营商。

日本通信业三足鼎立的格局就此形成，日本传统的功能手机一统天下的时代就此结束。紧接着，孙正义通过两次免费营销——免费语音通话服务和免费Wi-Fi热点颠覆了传统移动运营商的暴利生态，封闭的移动互联网系统一夜崩盘。

【孙正义说】

iPhone里有我的一些点子。

一定要和行业龙头合作。

"鲤鱼抱"谈判法：进入对方的频道

你知道捕鲤鱼的政雄吗？

——孙正义

经营离不开谈判，在经营软银的几十年里，孙正义经历了一场场惊心动魄的谈判。孙正义的谈判能力了得，否则他也不会在大学时就说服教授跟着自己一起"疯"。后来，软银能在日本稳住脚跟也归功于孙正义的谈判能力。

孙正义曾向软银员工阐述自己的谈判技巧，他眼中的谈判过程从来都不是双方互相博弈，以求战胜对方的过程，而是展示自身价值，吸引对方认同的一个过程。为了达到"不战而屈人之兵"的目的，谈判前必须做足功课，对对方有充分的了解。

孙正义自己的谈判老师是一位捕鱼达人，他曾说："我的谈判技巧全部来自捕鲤手真麻氏。"

"真麻氏"，熟悉日本文学的人一定不会对这个人感到陌生。他时常出现在各类文学作品中，曾获得著名文学奖芥川奖的文学家火野苇平、开高健等人，都曾以真麻氏作为人物原型，创作了一篇篇散文、小说。"捕鲤手真麻氏"在1999年的时候去世，他的后人继承了手艺，现在还在久留米市经营着一家叫作"鲤之巢本店"的河鱼饭店。

孙正义口中的真麻氏当然不是文学作品里的形象，而是真麻氏的原型，现实中的捕鱼能手——上村政雄。上村政雄生活在福冈县久留米市一个名叫田主丸町的小镇上，这个地方离孙正义的老家不远，因此对于上村政雄的传奇经历，孙正义从小就有耳闻。

上村政雄一生捕鱼，他之所以那么出名，是因为他独特的捕鱼手法——"鲤鱼抱"。这是上村政雄独创的冬季捕鱼方法。冬天，上村捕鱼的筑后川河水异常冰冷，而且由于河水太深，居民们在冬天很难捕到鱼。后来上村发现鲤鱼在冬天会聚集在河床附近，因为那里的水温较高，这给了他启示，发明了"鲤鱼抱"。

"鲤鱼抱"的具体做法是，在进行"鲤鱼抱"前几天，上村政雄就开始食用肉类、黄油之类的高热量食物，调整身体状态。等到"鲤鱼抱"当天，他会在筑后川边架起篝火烤火，一直到全身大汗淋漓为止。

一段时间后，上村政雄潜入筑后川中，直接潜到河底，静静地躺在那里，等待鲤鱼上钩，而鱼饵就是他的身体。据说上村政雄在水中憋气的功夫十分了得，可以几分钟不出水面，这给了他在水底捕鱼的足够时间。

在憋气的几分钟里，鲤鱼会自发地聚集在他的身边，因为人体的温度比较高，鲤鱼能够感知得到。就在鲤鱼安心取暖的时候，上村政雄会猛地用双臂抱住身边的鲤鱼，然后跳出水面。上村政雄经常是双臂抱着鱼、嘴巴叼着鱼出水，一天能捕上百条鲤鱼，他甚至还用这种方法，抱出过一条接近一米的鲤鱼。小镇上的捕鱼手们纷纷向他请教，果然冬季在筑后川捕鱼时，"鲤鱼抱"是百试不爽的良方。上村政雄和他的"鲤鱼抱"逐渐流传开来，冬季时从日本各地赶来的人聚在筑后川附近观看这一神奇的捕鱼法，多的时候有上百人观看。

一般人只是将"真麻氏"的"鲤鱼抱"当作冬季捕鱼的妙计，孙正义却将这一法门用到了谈判中。他在一生大大小小的谈判中，总在事前做足准备功课，不采用正面对抗的方法，而是提供对方认同的"温暖"，在对方逐渐失去戒心时，一举"抱住"对方，大获全胜。

其实，孙正义口中的"给对方温暖，待对方懈怠时一把抱住"的谈判沟通方法，就是"进入别人的频道"，让别人喜欢你，从而获得信任，表达的意见也易被对方采纳。如何进入对方的频道？人与人面对面沟通时的三大要素是文字、声音及肢体语言。一般人常强调话的内容，却忽略了声音和肢体语言的重要性。

其实，沟通要进入别人的频道，除了使用对方的语言，还要使你的声音和肢体语言与对方的习惯保持一致。我们这里介绍一下五步沟通法：

第一步：情绪同步，表情同步。如果对方很严肃，你也应跟着严肃；对方表情很放松，你也应表现得很轻松；对方开怀大笑，那你也没必要拘谨，完全跟对方同步，对方就会莫名其妙地觉得你很可亲，合得来。

第二步：语调语速同步。如果对方讲话速度很快，你也应提高语速；对方讲话速度非常慢，你也应不急不躁；对方声调很高，你也可相应提高声调；对方讲话声音很轻，你也应非常轻。总之，与对方越接近越好。

第三步：肢体动作同步。模拟对方所有的习惯动作，比方说对方经常捋头发，你也可以做类似的动作。但需要切记的是，千万不要和对方同时进行。任何人都希望别人模仿自己的动作，但你的模仿应该在不知不觉之中。

第四步：习惯用语同步。每个人讲话时都有一些口头禅。这时候你要注意把对方的口头禅融入你的语言中，这样会使对方听起来很亲切，有熟悉感。

第五步：价值观同步。研究表明，人与人之间的冲突，95%来源于价值观的冲突。假如你要真正地、全方位地进入对方的频道、进入对方的心灵，就必须认同对方的价值观，这样才能实现深层次的沟通。

所以，有的时候人与人交流时会说"我和他不在一个频道，没法交流"，对此最好的方法就是调频，从对方的需求出发，自然能够让对方在不知不觉中被"抱住"。

【孙正义说】

我的谈判老师是捕鲤鱼的上村政雄。

谈判前做足准备，站在对方的角度想问题。

借助免费的力量

咖啡免费喝了，大家都快来吧！

——孙正义

孙正义的商业天分是毋庸置疑的，这一点在早年间就得到了展露，他在12岁时就曾出手拯救父亲孙三宪的街角咖啡店。

当时，孙三宪为了养活一大家子，不得不到处赚钱，什么能赚钱的行当都有所涉足，这家咖啡店就是其中的一次尝试。不过，限于启动资金不足，咖啡店的地址选在了十分偏僻的街区，一天下来只能卖出寥寥数十杯而已，生意十分惨淡。尽管如此，这家咖啡店依然是孙家的命脉所系，由不得孙三宪撂挑子不干。

正当孙三宪愁眉苦脸的时候，年仅12岁的孙正义给他出了一个主意：派发免费咖啡券。孙三宪听到儿子的建议后，完全把他的话当成了孩子的童言无忌。因为在孙三宪看来，孙正义的提议完全是胡闹，原本咖啡店就已经在亏本的边缘徘徊，哪里还有多余的成本用在免费吸引顾客上，这样做只会加速咖啡店的倒闭。毫无疑问，孙正义的提议被父亲否决了。

不过，孙正义并不放弃，坚持向父亲说明这样做的好处，并保证一定会吸引大量顾客前来。也许是出于对儿子的信任，也许是咖啡店长期不景气，"死马当作活马"的心理驱动，最后孙三宪同意了孙正义的提议。

得到父亲的首肯后，孙正义近乎挥霍地印刷了1000张免费咖啡券，一个人跑到几条街外的电车车站散发咖啡券。与孙正义预想的一致，人们非常满意免费得来的咖啡券，孙正义在人们的哄抢中派发掉了免费咖啡券。几天后，大量顾客持着免费咖啡券前来咖啡店兑换咖啡。而在此时，孙正义请来咖啡原料厂的负责人。那位负责人看着眼前人山人海的场景，简直傻眼了。

很快，孙正义的1000张免费咖啡券换来了回报，附近街区的人都知道在这个偏僻的角落有一家不错的咖啡店，大家都愿意在等电车时走过来买上一杯浓香的热咖啡；而咖啡原料厂商开始关注这位"大主顾"，开出了极为有利的付款条件，而且送货上门。

在此之后，孙家的街角咖啡店生意越来越好，极大地缓解了家中的经济窘迫状况。如今，免费是人们最常用的一种促销手段，看起来这一招真是用脚趾头都能想得到的点子，在45年前可是新鲜得很，尤其还是在孙家所在的"城乡结合部"。

很多人都知道免费吸引顾客，但很少知道背后的心理作用机制。那么免费为什么可以吸引眼球？

美国麻省理工学院的一位行为经济学家做了这样一个实验。他出售两种巧克力，分别是品质极佳的瑞士莲松露巧克力和品质一般的巧克力。二者的价钱是：品质好的巧克力定价是15美分，一般的则是1美分。结果显示，消费者显得很理性，选择一般巧克力的人数比例只有27%。

品质是不是真的可以决定一切？第二个实验给出了答案。在第二个实验中，经济学家将上好的瑞士莲松露巧克力的价格下调到14美分，一般巧克力的价格定为"免费"。在差价不变的情况下，有

69%的人无法抵御一般品质巧克力的免费诱惑。

选择免费的原因在于人性中趋利避害的一面。

从根本上说，免费不过是改变了企业利润在价值链上的环节，免费的真正规则在于"交叉补贴"，即免费+收费，这是免费的第一种模式。在这种模式下，你要先考虑如何用免费的东西获得关注度，将自己的产品传播出去，然后再想办法从价值链的其他环节上获得利润，否则作为商人你无法在自己经营的项目中赚钱那又有什么意义呢？

比如，美国消费者在享受ZPPOS鞋业的免费服务时也许会产生这样的情况：

公司为顾客免费邮寄鞋子，一次最多可以邮寄5双，顾客可以在家里试穿，将其中最满意的一双买下，剩下的邮寄回公司，当然这部分邮费同样由ZPPOS公司承担。如果购客买下了所有鞋子，那么一切问题都解决了。

现在，有几种比较常见的免费+收费的策略，比如：

产品免费送，服务上赚钱；

赠送免费服务，产品上赢利；

送软件，卖硬件；

送硬件，卖软件；

买一送一；

直接免费赠送；

免费停车；

免费调味品；

免费试用；

免收快递费；

儿童免费，成人收费；

注册免费，使用收费；

免费使用科学文献，向作者收取出版公费；

免费赠送信用卡，向生意人收取交易费；

赠送内容，出售客户信息；

免费提供简历，向招聘单位收费；

女士免费，男士收费；

赠送内容，出售物品；

赠送房屋清单，出售抵押贷款；

赠送内容，将用户推荐给零售商赚钱；

赠送基本信息，出售更丰富的信息；

赠送低质量MP3，出售高质量光盘；

免费玩游戏，向希望在游戏中享受更多服务的用户收费；

对经常逛商场的用户收取较低费用，这部分补贴来自不经常逛商场的用户；

赠送广告支持的业务，出售去除广告的能力；

赠送试读片段，出售书籍；

赠送网络内容，出售印刷实体内容；

赠送普通管理建议，出售定制的管理建议；

赠送电脑和电脑通话，出售电脑和手机通话；

赠送免费照片分享业务，收取额外存储空间使用费；

…………

第二种免费的模式也很常见，即第三方付费。原宿"Stamplelab"就是一个典型的第三方付费模式。事实上店主卖的并不是店里的商品，而是将他吸引来的顾客"关注度"卖给商品的供应商。此外常见的付费第三方还有免费视频网站或者电视上的广告主，招聘网站给求职者提供免费的求职平台而向用人单位收费也属于此类。

第三种免费模式称为"直接补贴"。安德森在他的《免费》一书中为我们列举了许多采取这种模式的商家，比如最直接的就是超市的"买一送一"活动，还有亚马逊的"免运费"服务：只要你购买超过25美元的商品，就可以享受免费配送服务。想想看我们有多少次为了"凑单"额外购买了本不在计划里的东西。当然最有名的直接补贴就是吉列剃须刀的"刀片+刀架"模式。吉列用廉价的刀架招徕顾客，目的是让大家不断地购买需要更换的刀片。

当然，年少的孙正义不可能懂得如此多的免费理论，而他派发免费咖啡券的想法完全源于他近乎本能的商业天分。到了今天，孙正义早已熟练掌握免费的各种运用法门，而软银也成了日本最会运用免费或者低价策略的企业。

【孙正义说】

这是我们的免费咖啡券。

我想帮助父亲扭转亏损。

创业走心，只卖自己认可的产品

自己都（觉得产品）不过关，怎么能给用户呢？

——孙正义

孙正义常说这样一句话："自己骗不了自己，最难说服的人其实是我自己。"这句话的背后体现的是孙正义对于软银产品的极致甚而苛刻的要求。当然，孙正义口中的产品不仅仅是手机等看得见、摸得着的电子产品，就连跟合作伙伴谈判的方案也是产品。

在软银，孙正义要与其他公司洽谈合作时，会事先在软银内部进行一次会议，与会者不仅仅是软银的管理层，还有企业外的法律、金融专业人士，大家一起商讨出最佳方案。孙正义口中的"最佳方案"，可不是只对软银有利的单角度方案，而是能够让合作双方共赢的方案。孙正义认为，只考虑自己利益的方案就是"不合格的产品"，即使拿出去跟伙伴谈，最后也不可能达成一致，这是可以预见的结果。所以不管如何都要"走心"考量，先过自己这一关。

孙正义对于电子产品也有同样的要求。不管是手机、耳机还是其他产品，孙正义都是软银NO.1试用员，只有经过他首肯的产品，才可能出现在软银的店内。

软银的员工也对产品有很高的要求，譬如软银3C产品店内的所有员工能够做到对店内商品了如指掌，不管是技术细节还是操作小诀窍，都摸得清清楚楚。目的只有一个，那就是对产品走心，只有员工自己熟识了，才能对进店的顾客自信地讲解。

其实，不管什么企业，要想打造高品质的产品，不仅管理者自己要主抓产品质量把关，还得把这种理念渗透到公司的每个员工、每个角落，让注重产品质量成为所有员工的共识。

每个员工都是企业的一分子，真正认同企业质量观的员工才能把产品的质量放在工作的重要位置。他们明白，工作中的小疏忽到了客户那里就会变成大问题和大麻烦，为企业带来无法挽回的损失。

作为企业管理者，要让全体员工形成"零缺陷"意识。每个人在每个生产环节中都精心操作，秉持"高标准、精细化、零缺陷"的理念，最终就能为企业、为自己赢得良好的口碑，创造更大的业绩。

在雷神公司的新导弹工厂里，一枚导弹正在紧张生产过程中。这时，一枚螺丝刚刚拧完，生产系统却意外中止了。这是怎么回事呢？

原来，这声警报是一个错误提醒。这个错误警报系统很先进，是基于大数据分析的。在这样的精密武器制造过程中，任何一个环节的缺陷和错误都可能造成非常严重的后果，即便没有发生事故，单是返工、维修和更换都要花费不少时间和金钱。

雷神导弹系统高管兰迪·史蒂文森表示，如果大数据分析的结果表明，某一颗螺丝需要拧13圈才能上紧，而在导弹生产过程中只拧了12圈，那么错误警报就会发出，导弹或配件的制造就将被中止，确保不会有带着缺陷和错误的导弹被生产出来。

在生产过程中，认同企业质量观，实现产品质量零缺陷，必须坚持"三不"原则，即"不制造不良品、不流出不良品、不接受不良品"。

1. 不制造不良品。这是每个现场生产人员首先必须保证的，不制造不良品，才使不流出和不接受不良品变成可能。

2. 不流出不良品。作为操作者，一旦发现不良品，必须及时将不良品在本工序截下，并且在本工序内制定处置和防止再发生的对策。

3. 不接受不良品。后一道工序人员一旦发现不良品，应立即在本工序实施之前停止，并通知上一道工序人员。上一道工序人员必须立即停止生产，并追查原因，采取对策，控制流出的不良品。

用户都是喜欢高质量产品的，没有人对劣质品念念不忘，但他们的判断标准也不一定都是对。

如果用户不能明白产品好坏，企业这时候就需要充当一个工具或渠道，向用户清楚地说明其产品。在用户不了解产品的情况下仍然遵从"用户永远是对的"这一原则，往往会失去产品的市场，且不知道为什么失去。必要的时候完全可以站出来告诉用户"你是错的"，然后拿出足够的证据和诚意，打动用户。企业想向用户精准地提供最好的产品，最重要的一条就是读懂用户的心，了解用户的真实需求，因为用户只知道"要高质量的产品，但不明白到底哪个是好的"，你要做的是站在他们的角度，推送你自己完全认可的产品。

事实上，这有时候看上去好像是得罪用户的事，是吃力不讨好的事情，但是研究调查告诉我们，总有一天用户会明白谁才是真正提供好产品的人。

美国盖洛普商业调查公司曾做过一项民意测验，问题是："你愿意为质量额外支付多少钱？"其结果甚至使那些委托进行调查的人都感到吃惊，"大多数用户只要认为产品质量令他满意，就愿意多花钱"，较高的质量直接带来了顾客的忠诚度，同时也支撑了较高的价格和较低的成本，并能减少顾客的流失和吸引更多的新顾客。

这就是市场对于企业"坚持只卖自己认可的好产品"的强力反馈信号。

企业必须对自己提供的产品和服务"走心"，否则即使挣了再多的钱，如果制造的产品跟服务是对社会有害的，这种企业的唯一结局就是消亡。

【孙正义说】

坚持只卖自己认可的好产品。

自己骗不了自己，最难说服的人其实是我自己。

有节制地扩张，不把虚胖当成长

不要在小规模的竞争里斗争，要努力扩大规模，规模大就意味着进入的门槛高，敌手就更少。

——孙正义

一个国王远行前，交给3个仆人每人一锭银子，吩咐道："你们去做生意，等我回来时，再来见我。"国王回来时，第一个仆人说："主人，你交给我的一锭银子，我已赚了10锭。"于是，国王奖励他10座城邑。第二个仆人报告："主人，你给我的一锭银子，我已赚了5锭。"于是，国王奖励他5座城邑。第三个仆人报告说："主人，你给我的一锭银子，我一直包在手巾里，怕丢失，一直没有拿出来。"于是，国王命令将第三个仆人的1锭银子赏给第一个仆人，说："凡是少的，就连他所有的，也要夺过来。凡是多的，还要给他，叫他多多益善。"这种穷者越穷、富者越富的现象被称为"马太效应"。当今社会中这种现象也是普遍存在的，即赢家通吃。

在软银的经营中，孙正义明白马太效应的优势，所以他才会如此热衷于在全球投资大量企业，让软银旗下拥有上千家企业。即使软银已经扩展到名副其实的商业帝国地步，孙正义还没有收手的意思。他在软银愿景发布会上说："未来30年软银投资的公司将会增长到5000家。"足见孙正义对于"扩大规模"的迷恋。

这样做的背后，也有不得不这样做的心酸。

在互联网行业中，规模决定着一切。行业巨头能够"吃肉喝汤"，躺着挣钱，后面的跟随者连闻个"肉味"都难。就连政府监管都是，俄罗斯政府对于浏览量在3000次以下的博客作者连看一眼的心思都没有。可见大规模在互联网行业内的重要性。

不管是几万人的巨无霸企业，还是两口子的"夫妻档"，都有自己的生存之道，但是随着科技的进步，受马太效应的影响，规模小的企业的确容易被大风浪拍倒。很多时候扩大规模也是生存的办法，让自己成为别人依附的"大腿"。

所以，孙正义曾在推特上、软银会议上分享过众多他对于规模的理解：

一个没有规模发展前景的产业是没有进军必要的；

规模发展也有风险，这种风险应该通过市场竞争来规避；

先保证企业赢利，然后再谈规模，不能以利润为代价盲目扩大规模。

一定的生产规模是企业效益的前提，小作坊式的生产模式不适合现代制造业；

强调规模的重要不代表"规模越大，成本越低"，这种极端的想法也是错误的。

那么，企业到底该怎样扩大规模呢？

一般来说，企业在成长和扩张的过程中多会采取以下3种常见战略：内部扩张、外部并购以及和其他企业建立发展同盟。以软银扩张新能源发电站为例：

1. 在刚刚进军的新能源领域，孙正义并不热衷于并购扩张的模式，而是更中意直接在各地买地建厂。这种选择有新能源行业的特殊性，小发电厂设备落后、工人专业素质训练不足，而大发电站又多半是日本国有的，不可能轻易被并购，所以孙正义选择自己建厂，看似成本巨大，从长远发展来说却是和其他大企业一争高低的必由之路。另外，由于新能源产业的特殊性，其选址极为重要，而在全国各地提前选择好高质量的地址，让孙正义占了先机。

2. 软银实行"有责任的扩张战略"，不把经营风险带给建厂地。很多跨国企业喜欢到落后的国家投资建厂，看中的就是当地的廉价劳动力以及相对本国较弱的监管力度。而软银从一开始就希望和建厂地一起发展，这是孙正义的"谋福情结"。所以，很多亚洲不少地方都受益于软银"一流技术、一流产品、一流人员、充足资金支持"的建厂原则。近几年，孙正义同时着眼区域性产业对经济的拉动作用，开始将投资的发电站周边居民吸收到发电站工作，带动当地居民就业。

3. "稳而不慢"的扩张节奏。产量和成本、利润之间存在着微妙动态关系，所以孙正义并不盲目追求扩张的速度和企业的生产规模。他更多地采用的是"先造势，后取利"的围棋博弈战略思路。规模到了一定水平，势起来了，利自然也就跟着来了。同时，既然造势的目的是取利，造势的快慢自然也要根据取利的多少进行动态调整。用孙正义的话来说："企业扩张不是撞大运，撞到哪算哪。我们走的每一步，都是为下一步服务的。"

任何事情都有两面性。追求规模不等同于简单的数量累加。如果只是数量上的增加，整体的生产力却没有得到提高，这就是水肿虚胖。

企业最危险的错误就是把发胖误认为是成长。一个企业如果不把不能做出贡献的活动抛开，那它将会遇到麻烦：那种活动只会消耗力量，损害成长的真正潜力。真正的成长必须在经济成就和经济成果方面有所增加。

老板厨房电器在经历近30年的市场磨炼后，其吸油烟机已11年市场占有率稳居全国第一；老板燃气灶连续6年荣列全国市场同类产品销售前三名。老板厨房电器自2000年以来一直保持领先同业的高增长率，已成为中国厨电行业综合实力强势的厨房电器品牌，并已连续5年列居"中国500最具价值品牌"，连续4年荣登"亚洲品牌500强"榜单，列中国厨房电器行业第一位。

和绝大多数的民营企业家不同，老板厨房电器董事长任建华是一个不折不扣的改革派，他引进风险投资和期权制度，并坚决主张企业上市。任建华认为，公司上市的目的：第一是把核心员工留住，即使只做小股东，感觉也是不一样的。第二，上市后，消费者的信任度也会提高，公司上市本身就是一个广告。股民买我们的股票，也会买我们的产品。第三，资金充裕了，我们会更有实力扩大原有的规模，同时对企业的财务制度也是一种监督。

以前，总是有人呼吁要把企业做大做强，但是任建华说："中国大部分企业都还停留在提供产品的阶段，每一天都有企业倒下去，也不断有新企业注册。最终我们要做长寿企业，做大并不是我们的目标。我们的目标是做行业第一的和长寿的企业，而不是虚胖的企业。"

正是源于对企业成长如此清醒的认识，2008年上半年，受美国金融危机的影响，在整体厨房行业中市场需求没有显著增加的情况下，老板厨房电器的业务规模得到了持续增长，保持行业第一。

软银的大不是通过没有节制的投资把产值做得多大，关键是软银在行业中的地位足够高。企业开发相关的延伸产品是可以的，但跨行业发展，把适合一种产品的名字硬安到其他产品上去，消费者肯定是不认账的。这样的做法导致牌子倒掉、企业垮掉的例子太多。真正强大的规模是大而不虚，实而有力，是产品的竞争力。

谁能决定公司的走向？很显然，企业的管理层有着很大的影响力。为了保证公司的"纯粹性"，在马云看来，好的管理者甚至不是在寻找机会，而是要学会放弃机会，保持方向的单一性。"CEO的主要任务不是寻找机会，而是对机会说NO。"马云如是说。始终如一，最后成功的商海战例比比皆是，而没有认识到这一点，导致失败的人不在少数。巨人投资董事长史玉柱就曾经饱尝这种痛苦，后来他也以自己的亲身经验阐述："我觉得最大的挑战不在于能不能发现机遇和把握机遇，而是懂得自己该做什么，不该做什么。"

史玉柱将盲目追求多元化写入他的《四大失误》里：巨人集团涉足电脑业、房地产业、保健品业等，行业跨度太大，新进入的领域并非优势所在，却急于铺摊子，有限的资金被牢牢套死，巨人大厦导致的财务危机几乎拖垮了整个公司。巨人的主业——电脑业的技术创新一度停滞，却把精力和资金大量投入自己不熟悉的领域，缺乏科学的市场调查，好大喜功，没有形成多元化管理的能力。

过于看重利益而忽视长远发展的企业，往往会选择多元化的发展战略。然而，企业盲目的多元化很容易将企业带入失败的深渊。多元化虽然能够在一定程度上分散风险，带来很多"利"，但会让管理者失去目标和方向感，分散企业的竞争力。尤其近年来，随着经济社会的规范，各行业进入白热化的竞争，企业管理层面临着巨大考验。激烈的竞争下，只有专业化的企业才能脱颖而出。"专业化"就意味着管理者知道自己该专注什么，而不是什么都胡乱尝试一番。专业化不仅对中国企业适用，全球行业的发展趋势也必然走向专业化。

任何一个企业都和个人一样，精力是有限的，会受到财力和物力的限制，而市场中的机会又无穷多。市场竞争总是很激烈，不能因为看到别人在做，出现了一时的利益就让企业随波逐流，这样注定会遭遇失败。

每一个有长远眼光的管理者都懂得"无见小利"的智慧。只有拒绝贪图小利的浮躁，才能够集中企业力量，发挥出企业的核心竞争力，以长远发展目标为指引，带领企业获得长足的发展。

【孙正义说】

一个没有规模发展前景的产业是没有进军必要的。

规模发展也有风险，这种风险应该通过市场竞争来规避。

平台思维构建事业群生态

从雅虎日本开始以来，以及我们对阿里巴巴进行投资以后，以及和阿里巴巴合作以来，我们展开了非常多的、各种各样的活动。也就是说从今天来讲，可以说雅虎日本购物平台和中国淘宝网这样一个购物平台应该正式开始紧密合作，这两个集团之间应真正发挥强强合作的效应。之所以等到今天才合作，就是在等待软银和阿里巴巴长大，平台的优势在于积累。

——孙正义

孙正义选择做当时并不是最火的创业领域，当然他并不是"灵光乍现"，而是有坚实的理论依据，即受到摩尔定律的影响。

摩尔定律由美国半导体生产商英特尔创始人戈登·摩尔创立，他在这个定律中指出：价格保持不变时，集成电路是可容纳的晶体管数，每隔18~24个月就会增加一倍，性能同时也将增强一倍。

例如，同样一款电脑，18～24个月之后，它就会尺寸变小一半，而且性能也将更优秀。

以2010年的电脑晶体管数为基数，按照摩尔定律进行递增，2018年微处理器的晶体管数量将超过人类神经元突触的数量——300亿个，发展到比人脑更高的水平。所以，如果将目光放在遥远的200年后，甚至300年后，届时电脑将会大大地超越人脑，成为地球上"最具智慧的物体"。

简单来说，根据摩尔定律，可以预见到计算机领域核心技术的日新月异的更迭速度，这与孙正义的"找到为之奋斗一生的事业"的目标相悖，因为如果只是坚持某一个技术方向，你不知道未来的方向在哪里，就像曾经红极一时的"随身听"、诺基亚功能机，如今都已经消失在历史长河中。但是孙正义不允许自己的未来充满不确定，这就是他选择做平台的深层原因。换句话说，虽然商场中卖的物品可能大变样，甚至一年一个样，但商场永远都是商场，孙正义要做的就是专注于商场。

这就是一种平台思维。要做就做平台，这几乎是当下每个创业者的理想。但在30多年前，人们并没有"平台"这样的概念，绝大多数人都是"现在什么最赚钱做什么"。

平台思维也灌注到软银的方方面面。从"软银"这个名字看，就能感知到孙正义的平台思维。"软银"即"Soft Bank"，而我们都知道，其实早期的软银业务与银行或金融毫无瓜葛，为什么会取个"银行"作为企业名的后缀，是因为孙正义受到"银行吸纳储户资金，进而进行资金运作"这样的平台思维启发，进而联想到"吸收各类软件，进行软件分销"的平台思维，这就是"软件银行"的由来。

同样的，孙正义创办软银之前，曾经花费一年多时间进行各种行业的深入调查，在经过千挑万选后，孙正义并没有从事之前已经有一定积累优势的软件技术开发，而是进入软件分销领域，这背后其实也是平台思维的影响。

在孙正义眼中，所谓平台，就是指"许多参与者活跃其中，每个人都有自己所追求的利益，而平台的本身价值也随着参与者的活跃而日益提升，价值提升后反过来吸引更多的参与者"。

简单来说，企业变成一个平台其实就是将自己变成一个开放的系统，这个系统里有一整套机制和规范，吸引其他不同的群体加入，激励他们在这里互动、创新，实现自我价值的同时达到平台的价值追求。从本质上来说，平台就是打破传统的产业链，对不同行业进行了重组。

因此，平台生态圈的打造不是一朝一夕的事，企业有许多事情要做。波士顿咨询公司首席执行官为我们总结了几条：

1. 企业要对外部环境保持敏锐，要能够在第一时间抓住变化的信号，感知变化的方向。

2. 从组织上适应互联网时代的要求，从企业的内部结构上进行调整，让它变得更加灵活，资源的调配也更加自由。

3. 打造平台生态圈意味着会有许多公司加入平台，彼此之间互相独立，合作双赢。如何才能吸引对平台构建有利的企业加入也是企业需要考虑的问题，一旦合作展开，各个企业间就必须以信任为基础，构建共同价值观。

以此来看，软银的众多业务其实都是"平台"，譬如雅虎日本这一搜索引擎是人人都可以使用、交流的平台。而孙正义的企业目标也的确是建立软银为主体的生态圈，让企业自行运转。"软银要成为银河系"，这是孙正义提出的目标。扩大企业规模、涉足各个产业，不是"摊大饼"式的发展思路，而是找到各个企业之间的优势互补关系，以软银为核心，整个集团就像看似混杂，实则完美分散的银河系一样，各分公司不仅围绕着软银、雅虎日本等恒星转，还要进行自转，保持自身的独立性。

不过，领导者需要注意的是不要盲目做平台，因为平台需要丰厚的资源和强劲的实力作为支撑，否则经不住平台上万千事物的挤压，崩塌是最直接的结局。

很多时候企业并没有准备好做平台，毕竟这是一项从观念到组织的颠覆，更多的时候企业做平台只是在互联网大潮冲击下的一种"应激反应"，即看到大型企业触网做平台，于是很想跟着上马，生怕被落下，结果弄巧成拙。

事实上，做平台和创业一样，不同类型的企业要顺应形势。对于传统企业而言，与其一开始就自己动手，不如先从利用现有的资源开始，因为整合比自己做更快，也有利于在后进市场的情况下加速赶上对手。尤其对于一些实力不甚强劲但又急于转型突破的企业而言，先将自己变成大平台企业的一个部分，比把自己建成平台更加切合实际，比如天弘基金。

说到"天弘基金"可能很多人并不熟悉，但说起"余额宝"大多数人应该都不会陌生。正是天弘基金与阿里巴巴合作，推出余额宝。随着2013年余额宝规模突破1000亿元，天弘基金也进入了"千亿"俱乐部。然而在此之前，天弘基金作为一家小基金公司处于入不敷出的状态，公司需要一次转变来突围。这时，它有3个选择：

首先是基金公司赚钱的首选——铺渠道，但是公司并不具备这样的能力；第二是做直销，但是公司并没有经验。一番权衡后，公司选择了第三个方法：找一个经验和实力十分雄厚的平台，而当时淘宝正有计划拓展基金公司客户。就这样，2012年下半年，天弘基金与淘宝网合作的互联网基金产品余额宝诞生了。这次合作对双方来说是一个双赢的结果，对天弘基金来说，淘宝为其提供了巨大的客户流量和资金流量，对于淘宝而言好处也不言自明，原本用户会将闲置在支付宝中的钱提取出来转存入银行，有了余额宝之后，这些"闲钱"就可以继续留在阿里巴巴集团内部流转。

所以，在没有实力的时候我们可以先用现有的资源，依托现有的平台，将自己打造成为一个为平台提供内容或服务的公司，借这个大平台的流量资源为自己积累用户，获得现金流，渐渐地我们会发现自己具备了成为平台的实力。

从天弘基金和淘宝的整合中我们可以发现，是否能建立平台的关键因素在于大量黏度很高的用户。正如我们之前说的，有了用户流量才有赢利的可能性。许多公司做"免费"的"赔本生意"也是在为积累用户流量做努力。天弘基金之所以选择淘宝，正是看中了淘宝平台上海量高黏度用户。

但是我们也必须看到，类似阿里巴巴等已经拥有流量优势的平台型企业并不是有了流量就万事大吉。相反，面对复杂多变的市场情况，平台型企业依然要进一步夯实优势才可能保持实力。阿里巴巴在余额宝上线后，在2013年10月出资11.8亿元，认购天弘基金26230万元注册资本，持有51%股份，成为天弘基金最大的股东。阿里巴巴的延伸并购，实际上是平台巨头加强优势的典型做法。事实上，阿里巴巴还对新浪、人人等企业注资，为的就是让自己拥有更多的流量来源。再比如流量巨头腾讯公司频频在各领域出手，也是为了拓展自己的用户入口，弥补自己的用户结构在某些方面的缺点，比如腾讯对妈妈网的并购就为公司增加了孕龄妇女的流量来源，从而避免自己的用户流量过分偏向于"青年化"或"低幼化"的结构。

拥有了流量优势的平台企业在拓展自身流量来源的同时，也十分重视对自身业务的拓展，比如阿里巴巴对搜狗注资，加强自己在搜索引擎上的布局，腾讯推出的安全管家，加强了自己在安全领域的防守等，都是实力雄厚的平台型企业在扩大自己的业务领域，并将这些业务有机地组合在一起，以核心业务为中心形成一个完整的体系，增强自己的综合实力，以保住自己的竞争优势。

第三点，坐拥流量的平台型企业最终都需要走向开放融合。流量巨头往往难以避免因为用户优势而变得只与自己的用户交流，形成了封闭氛围。而开放可以让合作者进入，鼓励他们不断地开发出更好的产品和服务促进多方共赢。企业开放的入口越多，与更多人合作，价值转化的机会才会越大。互联网并不是企业开放融合的唯一渠道，但它可以帮助企业找到最多的合作者。更重要的是，巨头的实力再强悍也有自己难以进入的领域，因此外部的合作可以起到"开路"作用。

有了实力再做平台，做了平台需要巩固自己的实力，两句话可以总结但做起来的确是一门艺术。我们回头看今天已经初具规模的平台型企业，如百度、阿里巴巴，从开始到今天都经过10年以上的打磨和构建，而且他们也都是"天生的"互联网公司，传统企业在触网做平台时更需要细细地摸索。

对具备实力且准备向平台发展的创业团队来说，需要注意以下两点：

1. 明确平台要服务的对象都有哪些，即明确自己的价值点，以此立足。

2. 平台要把自己变成一个平衡器，需要协调多边关系，为每一个在平台上的公司都提供良好的服务。这也是平台吸引力的重要体现。

平台具备了吸引力之后，就需要考虑如何将人留住。同一个平台生态圈里的事业群组成了一个网络，彼此之间相互关联。这时，平台需要设计相应的机制，激发整个平台生态圈中的事业群实现共赢，即当一个事业群实现了发展，其他事业群就会从这种发展中获益。

【孙正义说】

平台的优势在于积累。

做企业就是要建立平台，自己搭建行业标准。

第五章

25字"孙孙兵法"的团队红利

公司的领导要有胆量去改变。要有很强的激情,甚至打破传统的业务,从而进入新的阶段,然后才能有革命性的方向,取得成功。就像对电子出版公司Ziff—Davis所做的那样,它就是一家传统的媒体公司,但是它对于行业内容和媒介都有很好的了解。他们就能够在深入了解的基础上走向新兴的互联网行业。

道天地将法：顺势而为才能抵达远方

过去我争第一的心很重，但是现在我知道"道"的重要性，我把它放在第一位。互联网行业才刚刚起步。在过去的5年里，互联网几乎是从零起步，而现在却有了3亿多用户，这是一个很好的起步。就像汽车刚被发明的时候，也没有那么多的高速公路，没有那么多的加油站。电视也一样，发明后的几年里都没有很好的电视节目，甚至连观众都很少。

——孙正义

很多时候，一个企业的文化，是通过领导者的思想和行为表现出来的。一个企业家，哪怕他的企业只有两三个人，他也必须有自己的思想，有独到的理念；他必须不断地在管理水平上、技术上、精神上、理念上充当一个领袖的角色，起到一个领袖的作用。

孙正义的领导哲学就是25字"孙孙兵法"。

1983年的春天，孙正义被查出患有严重的肝病，这可不是什么好消息。在这以前，他的身体就已经出现预兆，孙正义总是觉得疲惫不堪，可他想这可能是创业时期劳心劳力的原因，也许过一段时间注意休息就好。那段时间他也是医院的常客，不过看起来情况并没有那么严重，结果1983年4月，公司的春季体检报告上赫然写着"B型肝炎"，医生仿佛是死神的信使一般，告诉他生命只有5年期限。

因祸得福，孙正义不仅战胜了病魔，而且总结出他一生中最重要的25字"孙孙兵法"。其中重要性最高的是"道天地将法",因为这是孙正义经营理念的最高体现,即"依天行事,按道经营"。

"道"就是人心所向以及理念、战略的正确性等。《孙子兵法》中说:"道者,令民与上同意也,可以与之死,可以与之生。"孙子认为"上下同欲者胜",所以提出"修道而保法",强调搞好内政,确立法制。在孙正义看来,"道"的含义颇为丰富,"梦想""愿景"都是"道"的一部分。

"天"即天时、机遇、季节、时机、形势。《鬼谷子》中说:"变化无穷,各有所归,或阴或阳,或柔或刚,或开或闭,或弛或张。"企业家也要与世而移,善于及时地调整企业发展的战略和思路。孙正义眼中的"天"是"时机"的含义。

西方石油大王哈默就是善于随机应变、因地制宜的典型。他是最早会见列宁的西方商人。在读大学时,他就因制药业的成功,成为当时唯一的大学生百万富翁;在俄国十月革命后,因战时共产主义的失败,列宁改而采纳改革开放的"新经济政策",哈默成为最早到俄国淘金的西方商人,他把俄国的矿产资源运到美国,换来俄国人果腹急需的粮食;斯大林抛弃列宁的改革开放政策后,哈默将在苏俄收集的当时被俄国人鄙弃的艺术品带到美国,又发了一笔财;罗斯福实行新政后,哈默敏锐地觉察到禁酒令即将废除,于是他在制酒界大展拳脚;二战后,民生急需改善,哈默又转向牧业,成为牧业领袖;20世纪六七十年代,他插手石油,成为石油大王;后来,哈默致力于化工,又成为化工领域的旗帜。

"地"就是地势、地利、资源、交通状况。良好的地势有助于形成强大的兵势,所以,造势也是用兵的法则之一。《孙子兵法》中说:"善战者,求之于势。""善战人之势,如转圆石于千仞之山者,势也。"孙子还提出"投之亡地然后存,陷之死地然后生""聚三军之众，投之于险"的危机管理法。在软银，"地"就是"地利"，"软银地处亚洲就是我们最大的地利优势"。

"将"即是要成为优秀的将领，"人和"之意。"在自己必须成为优秀将领的基础上，必须找到10个以上良将的帮助，否则做不成事情。"

孙正义建立的软银学院，除了寻找接班人这一目标，更大的用心是在培养软银的优秀管理人员上。

"法"就是法纪、制度、结构、编制、配置、权责等。"法"须统一、守信："法不信，则君行危矣"；"法"须制约权贵："法不阿贵，绳不绕曲"；还需"明法"：大臣"虽有智能，不得背法而专制"。在软银的经营、管理中，"法令孰行"，即哪一方的法纪、条例、标准得以贯彻，可以判断一个企业的成败得失。

在软银，没有所谓的"元老特权"，连孙正义都带头遵守公司规定，其他人更不在话下。

道天地将法是孙正义总结的5个制胜条件，总结起来就是经营决策要符合一定的规律，在天时、地利、人和三者完备的情况下才能出击。

【孙正义说】

过去我争第一的心很重，但是现在我知道"道"的重要性，我把它放在第一位。

软银地处亚洲就是我们最大的地利优势。

顶情略七斗：五成太低，九成太高

冒险不是投机，要在分析之后再行动，但是不能等得太晚。人人都看清的时候，市场也就没了。还有一点就是，"不战而屈人之兵"。收购合并便是这样的。大部分的日本管理者或者媒体人士好像都不能理解我的那种战略，因为他们大都用"冒险"或者"差额利润"来形容我。未来我将慢慢提到，每个交易是根据多大的规划、在什么样的科学分析之下，通过前瞻多远的未来之后做出的。

——孙正义

人要么太激进，要么太胆小，能做到二者平衡，必成大事。

走在路上，眼看就要到达目的地了，路上突然出现一块警示牌，上书4个大字：此路不通！这时你会怎么办？

激进者仍旧坚持走这条路，大有不撞南墙不回头之势。结果可想而知，已言明"此路不通"，那个人只能在碰了钉子后灰溜溜地掉头返回。这种人在生活中常常因"一根筋"思想而多次碰壁，消耗了时间和体能，却无法将做事效率提高一丁点，结果做了许多无用功。

胆小者选择驻足观望，不再向前走，但也不掉头，想法有二：一是认为自己已经走这么远，再回头心有不甘且尚存侥幸心理；二是想如果回头了，其他的路也不通怎么办？结果驻足良久也未能前进一步。这种人在生活中常常会因懦弱和优柔寡断而丧失机会，事业没有进展不说，还会留下无尽的遗憾。

还有另一类人，他们会毫不犹豫地掉头去寻找另外一条路。也许会再次碰壁，但他们仍会不断地进行尝试，直到找到那条通幽曲径。

这是一个度的问题。做事情既不可太急躁，也不可失去激情，重要的是做全局性的观察。

能够以全局性眼光进行分析判断，制定发展的战略，也相当重要。孙正义的看法是：一件事情有七成胜算就应果断行动，也就是他总结的"顶情略七斗"。

"顶"就是"顶端"，最终的目标所在地。换句话说，做事情要站在最终的制高处向下望，这样才能看得清楚。

"情"就是"情报"。孙正义说："我关注的是信息的收集与分析。"

"略"就是"战略"。分析完情报之后，还要将下一步怎么做提炼出来，这就是行动的战略。

"七"就是"七成"。行动之所以要七成胜算，是因为五成或六成太低，胜与不胜的概率相对，意义不大。而高于七成，则说明胜率高，一定早已有人进入这个领域，他们的决策也做得完备，那么自己再进入，事实上成功的可能性已经不高。如果真的需要看到九成或九成五的胜算才行动，那只能说明自己过分谨慎，不够果断，会错失很多机会。

孙正义的许多决策都以"七成"为判断的基准。虽然还有三成的不确定性，可是就像蜥蜴切掉三成的尾巴依然存活一样，将风险控制在三成的范围内，孙正义就有信心让事业起步，甚至起死回生。

"斗"就是"战斗"。不管说得多好，都是纸上谈兵，不足为信，最好的办法还是去战斗中磨炼自己的本领。

一个符合"顶情略七斗"的管理者应该像优秀的政治家一样，具备这样的智慧和能力：

1. 高瞻远瞩的能力；

2. 对于各种信息的分析综合能力；

3. 在最恰当的时候做最恰当的事情，制定最适当的战略的能力；

4. 抓住主要矛盾，关注次要矛盾，同时关注细节；

5. 实战经验丰富。

高瞻远瞩的能力，考验的是管理者对业务长久思考的能力和全面布局能力。"我们不能只站在业务本身的高度做业务，就像一场战争，绝不是为了打仗而打仗，更不是图一时之快。"比如，刘邦的目的是为了建国，局部的输赢对于他来说并不是最重要的；而项羽则沉浸于每一场战争的输赢中，缺乏整体的布局能力，所以必输无疑。

对于信息的分析综合能力，是管理者必须具备收集、综合、分析信息的能力和意识。"一个优秀的政治家，一定善于分析各种信息，在别人不注意的信息中分析出有用的东西。"

2013年年初，一部叫作《纸牌屋》的美剧一炮走红。该剧由著名演员凯文·史派西主演，知名导演大卫·芬奇执导，刚一放映便受到美国及其他40多个国家与地区观众的追捧，可谓是最火的剧集之一。世界上最大的在线影片租赁服务商奈飞公司（Netflix），在击败很多对手、预支1亿美元作为剧组预算后，才获得这部美剧的两年独家播放权。

也就是说，奈飞公司花了1亿美元的巨资，为的只是两年内让用户只能在奈飞网站上付费观看这部剧集，这不可不谓一场豪赌。是什么让奈飞愿意砸这么多钱在这么一个剧上呢？难道，在开拍之前，奈飞公司就已经知道《纸牌屋》会火吗？其实奈飞公司在做这项豪赌的时候，同样也是秉持七成胜算的决断方式。

要知道，在美国电视行业，没有什么是确定的。也许你可以找齐金牌导演、实力演员和时下流行的题材剧本，但结果依然失败。不管做什么生意，能够预见未来都是可怕的，奈飞公司在纸牌屋一战中可能已经接近这个水准。

作为世界上最大的在线影片出租服务商，奈飞公司已经知道用户很喜欢《社交网络》《七宗罪》的导演大卫·芬奇，也知道凯文·史派西主演的片子表现都不错，还知道英剧版的《纸牌屋》很受欢迎，三者的交集表明，值得在这件事上赌一把。

奈飞公司在美国有2700万订阅用户，在全世界则有3300万，它比谁都清楚大家喜欢看什么样的电影和电视剧集。有研究表明，每天的高峰时段网络下载量都是出自奈飞的流媒体服务，如今人们在网上看流媒体视频的时间比看实体DVD碟片的时间还多。每天用户在奈飞上产生3000多万个行为，用户暂停、回放或者快进时都会产生一个行为，订阅用户每天会给出400万个评分，还会有300万次搜索请求，询问剧集播放时间和设备。

曾有报道称，用户登录奈飞网站后的每一次点击、播放、暂停甚至观看视频的时间长度都会被记录下来，存入后台用作计算。奈飞公司就是通过这种方法精确定位观众的偏好。据了解，奈飞公司之所以一口气播放13集《纸牌屋》，是因为他们已经预测到多数用户不喜欢在固定时刻收看电视剧，而是更加倾向于"养肥了再看"。

奈飞公司长期以来对用户租赁、观看数据的积累与分析，让它对用户喜欢什么样的电影和电视剧集，乃至喜欢哪一个镜头都有着较为准确的认识，这一切都来自大数据分析，而不是针对观众的抽样调查或者影评家的评论。无论从有效性还是可用性上看，这些数据都远比抽样调查和影评家的评论要好得多。

在经过上面的分析后，奈飞公司无疑已经有七成左右的把握，剩下的就只能交给运气了。

在最恰当的时候做最恰当的事情，制定最适当的战略，是要求管理者像优秀的政治家一样，不鲁莽地做出决定和随便行动，任何一个决定和行动都是领导组织走向良好的发展途径。比如一场战斗，早一分钟或者晚一分钟吹响冲锋号，结果就可能完全不同。而且，作为一个管理者，遇到棘手的事情不是不停地抱怨，而应该专注于如何解决问题。

同时，一个优秀的管理者要能够抓住主要矛盾，关注次要矛盾，同时关注细节。在公司众多业务中，如果善用"抓主要矛盾、不忽略次要矛盾"这一策略，很多事情就能够有效地梳理和快速地解决。除此之外，细节也同样不能忽视，在孙正义看来，"一个真正的政治家对于细节的关注是一种天生的能力"，因此，他们往往具备敏锐的观察能力，而这正是管理者必须具备的能力。

实战是检验真理的唯一标准。在商海中摸爬滚打过的管理者才不会有"和书本上的知识对不上的尴尬"。

【孙正义说】

管理者要在基层摸爬滚打过。

人人都看清的时候，市场也就没了。

一流攻守群：领导者从来就不是独行者

做事情只靠一个人，那真是危机四伏。

——孙正义

佛教创始人释迦牟尼曾问他的弟子："一滴水怎样才能不干涸？"弟子们面面相觑，无法回答。释迦牟尼说："把它放到大海里去。"

领导者虽然是一个企业的灵魂，是最重要的"一滴水"，但他也只是"一滴水"。

领导者不能当孤胆英雄。孙正义是个善于依靠软银团队的领导者，"独狼"不是他的风格，这种思想的核心体现就是"一流攻守群"。

"一"就是"第一"。孙正义追求行业第一的领导哲学在软银是人人都知道的。孙正义说："成为第一才能长足发展。"

"流"就是"主流""潮流"。"不能在即将消亡的行业里干事业。"

"攻"就是"攻击"。领导者应当是整个团队当中攻击力最强的点，否则就不应该成为领导者。

"守"就是"防守"。会踩油门也要会踩刹车，会进攻更要会防守。

"群"就是"群体"。这一点是这句话中的重点。

作为领导者不能只是单打独斗，群策群力、攻守望俱佳才能产生加乘的效果。孙正义在公司的日常经营中也曾将团队发展为团组型团队，如10人一组划分为小团队，每个团队都有相应的独立权，有自我决策的权利，团队之间也可以自由协作和搭配。

孙正义对于团队的合作设定，与中国的打麻将很类似。

首先，打麻将需要的是团队合作，三缺一就打不成。软银移动门店每天的工作需要的也是团队协作，从外面的门迎到店内的服务，从样品介绍员到收银，以及导购和卫生清洁员，这些都是不能分割的，要很好地对接起来才能提供优质的服务。

清洁员发现导购员太忙，没有把桌上散乱的电子产品样品摆放出来，要怎么做；收银人员遇上需要咨询技术问题的顾客，要怎么做。拿孙正义对收银员的规定来说，不仅要懂得财务知识，更要对店内的产品有相当程度的技术了解。其他工种也有类似的合作规定。

其次，有人麻将打得久了，闭着眼睛都能打赢，因为他用心去记，每个牌面一摸就知。这也正是孙正义倡导的用心，比如顾客第二次来就能记住他们的名字，第三次来就能知道他们喜欢买什么，是耳机还是其他电子产品。只要用心没有记不住、学不会的东西。

关于"群"，孙正义还有另外的理解，也就是公司的产品线不能太单一，这样容易在危机中被淘汰，而且一旦市场环境变化，公司就前途堪忧了。所以，虽然软银是以软件销售起家，但是孙正义并没有一味依赖这个业务，而是进军出版业，进入互联网领域、移动通信等。

除了看重软银内部团队合作外，孙正义同样将这种思想带到与合作伙伴的合作中，即大家抱团在一起做事，而不是为了短期利益互相打压。

诺贝尔经济学奖获得者莱因哈特·赛尔顿教授有一个著名的鹰鸽博弈理论：

假设有一场比赛，参与者可以选择与对手合作，也可以选择竞争。选择合作策略的结果是，可以避免对手之间浪费时间和精力的消耗斗争，可以像鸽子一样瓜分战利品；但如果选择的是竞争策略，那么双方必定会因为争夺战利品而像老鹰那样斗个你死我活，并且即使是获得胜利，也会被啄掉不少羽毛。有很多人都会担心抱着双赢的态度会让自己吃亏，但实际上正如你对镜子笑镜子才会对你笑一样，双赢的合作态度是可以相互感染的。

美国科学家发现，理论上，无论经过多少次博弈，人类行为合作的概率与不合作的概率总是近似相等的。但他们通过实际调查发现，一旦有了一次或数次进行合作的良好回忆，在后来的博弈过程中，参与合作的双方总会依靠记忆来主动寻找善于合作的伙伴。这一点可以称作路径依赖。

所以，优秀的管理者要学会依赖身边的人，自己则做个组织众人和谐运转的组织者。

【孙正义说】

做事情只靠一个人，那真是危机四伏。

进攻是最好的防守。

智信仁勇严：领导者的自我更新

一个人要成就事业，应该具备这3个条件：第一人格，第二勇气，最后才是能力。作为一个领导者，可以让自己的属下说你没有什么才华，但是一定要让你的属下知道你是一个有德的人。

——孙正义

身为企业管理者，若拥有良好的道德品质，事事处处皆垂范在先，做出榜样，下属就愿意信任你，敬仰你，进而跟随你并学习你，天长日久，自会培养出一群支持你，追随你的下属。良好的品德可以成就一番伟业。历史告诫我们，事业是万众心力合一的结晶。

有德的领导者能凝员工之心，聚员工之力，引领企业按既定的方向发展，能使企业实现一个个经营目标；相反，无德的领导人，缺乏黏合力、向心力，会使身边的员工众叛亲离，成为陌路，其事业自会半途而废，甚至以失败告终。

具体来说，每个领导者都对管理者应当有什么样的品质，有着自己独特的理解。日本商界有人做过总结，一个有德行的管理者必须具备7种品质：

1. 感恩。企业家所获得的一切成就都是社会赐予的，应当从内心里感谢社会和他人的厚爱。

2. 仁爱。企业家对员工要有"同心之情"，要有"仁爱之情"，要"构筑一个互相信任的同志式共同体"。"仁爱"可以消除隔膜，降低磨合成本。

3. 勤奋。"业精于勤，荒于嬉"，企业家的勤奋事关责任心、事业心、工作毅力等优良品质。如像艺术家那样为工作而倾倒，迷恋上工作，并且让自己的所有热情和能量都能在工作中完全燃烧。

4. 慷慨。人的社会性要求其在权利与义务、索取与奉献、为人与利己诸方面有合于国家的、集体的价值取向。

5. 正直。做事要正直坦率，不遮掩不虚伪，光明磊落，坚韧不拔地去把它干到底，直到成功。

6. 慎独。能够自我控制，能够抵制本能的冲动是人和动物的根本区别所在。能否做到慎独是检验企业家是否真正坚定、磊落的试金石。

7. 守信。诚实守信是修身之本、做人之本。以心为本，企业家与社会、企业成为互相信任的共同体，使企业员工为共同体而工作。

在孙正义这里，这个问题他浓缩成5个字：智信仁勇严。

这5个字出自《孙子兵法》。在孙正义眼中，作为领导人，丰富的知识、信义、仁爱、果敢、威严都是必备的素质。

"智"就是智谋，孙子说"上兵伐谋"——上等的兵法是谋略伐敌；"全国为上，破国次之；全军为上，破军次之"，"不战而屈人之兵"，"善用兵者，屈人之兵而非战，拔人之城而非攻"——强调的是整体收购、双赢、非恶性竞争、非市场战的做法。

"信"就是"信念""信用"，用来凝聚团队的力量。

"仁"就是"仁义""仁爱"。如软银的宗旨："一切为了人们的幸福。"

"勇"就是"勇气"。在孙正义眼中，有勇气不是一味地向前冲，撤退需要10倍的勇气。

"严"就是严格管理，"静以幽，正以治""令之以文，齐之以武"，以文的办法号令大众，以武的办法让队伍步调整齐。

孙正义偶尔也会感情用事，企业是个修炼场，他也期望自己能达到五者兼备的最高境界。他承认，最高境界非最高智慧不可达到，而且必须在五者当中达到某种平衡，如仁爱不可过度，否则会失了威严，威严不可过度，否则就"不近人情"。

哈佛大学教育研究生院教授、多元智能理论奠基人霍华德·加德纳认为，相比其他专业人士，商业人士保持道德意识要更难一些。这是因为专门职业会形成一整套管控机制以及对违规者的惩戒措施，因此道德约束比较强，而从商严格说来算不上一项专门职业，他们唯一的要求是：赚钱，但不要违法。

品格意味着行动，领导者品质、道德不能只是嘴上的空言。评判领导者，要看他们做了什么，而不是看他们是谁。做个好人是没有什么用处的，必须做好事。面对危机必须坚定；困难的时候，要成为可以支撑团队的磐石；成功到来的时候，要把功劳归于他人。

作为一个符合"智信仁勇严"品质的企业管理者，应该注意哪些方面的修养？

1. 言行谨慎

时刻注意自己的工作态度和行为举止，其言行体现着号召力和影响力，绝不能有戏言。每说一句话都要经过认真的思考，无论在工作还是生活中都要约束自己，谨言慎行，不放纵，不浮泛，说一不二，"王命"不能轻易下达，一旦下达就需要有人不折不扣地执行，不可轻易变更。

2. 努力培养高尚的人格情操

"人以品为重，官以德立身"。管理者的非权力影响力体现在人格的力量方面。一个人在素质能力上有差距可以提高，但品质差距很难弥补。管理者为人是否正直，是否正派，处事是否公道，是思想政治品德和能力的外在表现。

3. 具备宽阔的处事胸怀

宽阔的胸怀是产生向心力、凝聚力、感召力的人格力量。作为一个管理者，处事时要具备坦诚相见的胸怀，对管理团队成员胸怀坦荡，以诚待人，不怀疑、不嫉妒、不欺骗；对下级不虚伪、不偏私；在重大问题决策上，充分发扬民主，集中集体智慧，不搞独断专行。

4. 树立严格的自律意识

一个管理者威信的高低，与权力的大小并无直接关联，而更多地取决于他在权力运用中表现出的品格优劣。优秀的管理者懂得严格要求自己，起到为人表率的作用，用实际行动来影响和带动身边的人一道努力工作。

【孙正义说】

作为领导人，丰富的知识、信义、仁爱、果敢、威严是必备的素质。

有勇气不是一味地向前冲，撤退需要10倍的勇气。

风林火山海：疾风徐林，如火如山

除了"海"这个战术是我自创的以外，其他的都来自《孙子兵法》。

——孙正义

"风林火山海"中的"风林火山"4个字对日本人而言相对更加熟悉一些。当年武田信玄将这4个字从《孙子兵法》中挑出，印在他的旗帜上。这是一种战术，即"其疾如风，其徐如林，侵掠如火，不动如山"。

"其疾如风"，即立即执行。互联网追求的是一种速度，"天下武功，唯快不破"，这个领域里每天都有新的事物产生，用户需求变化得非常快，竞争也很激烈，一旦速度跟不上，就会被淘汰。另外，企业在快速发展的时候风险往往相对较小。

2007年是人类手机发展史上的一个新纪元。这一年元旦过后的一个星期，当时的苹果公司CEO史蒂夫·乔布斯发布了一款名叫iPhone的产品，重新定义了手机。一年后的7月11日，苹果公司发布了第三代iPhone——iPhone3G。它的内部结构与第一代产品相似，不过是增加了一些模块，让它可以支持3G网络。

那时的iPhone尚没有在全球流行，孙正义预见到这款手机将会大热，于是他第一时间跑去找乔布斯谈。乔布斯也给出了积极的回应："你疯了吗？我们都还没和任何人谈iPhone，不过你很有眼光，你是第一个来找我的。这个产品是你的了。"

"其徐如林"，讲的是深藏不露。关于这一点，孙正义还有一句经典描述："在水面下谈判。"在与乔布斯接触的时候，竞争对手NTT和KDDI都被蒙在鼓里，根本不知道这档子事。因为缺少足够有实力的对手，孙正义从苹果手中获得iPhone代理权也是预料之中的事情。

"侵掠如火"，一旦掌握主动，坚决不给对手留退路。在取得iPhone代理权后，孙正义开始全面在日本展开推销攻势，他频繁地出现在电视、网络、报纸等媒体上，向日本民众讲述iPhone的种种优越性能。孙正义还借助自己在年轻人中的影响力，将iPhone与时尚、科技感联系在一起。此时反应过来的NTT和KDDI已经无力还手。

最终，软银引进了iPhone，并且成为日本唯一代理iPhone的运营商。事实证明它在日本爆红。iPhone吸引了许许多多时尚而年轻的日本人。为了获得一部这样的手机，他们成批成批地进入软银移动的网络，在手机流量上一掷千金。不仅如此，他们在软银的营业厅里购买iPhone时，会顺便带走它的周边产品，如手机壳、耳机等。

尽管软银已经取得压倒性的胜利，孙正义仍继续强化软银的优势，而且还与苹果签署长期合作战略，哪怕是将iPhone业务上取得的绝大部分利润分给苹果公司，为的就是确立"不动如山"的地位。

竞争是大事，但竞争中的双赢与竞争后的和平更为重要。

所以在"风林火山"之后，孙正义创造性地加上了"海"——

只有如大海一般浸漫了一切的局面才意味着真正的和平。必须熄灭那些隐藏的火星，否则星星之火有可能再次引发战争。

于是不久后，孙正义发表了一项声明，决定与NTT一同代理iPhone。这样一来，软银与NTT实现了强强联合。最终，孙正义在日本智能机市场上的地位无人可以撼动，一切归于海似的平静。

【孙正义说】

竞争是大事，但竞争中的双赢与竞争后的和平更为重要。

除了"海"这个战术是我自创的以外，其他的都来自《孙子兵法》。

关键时刻，冲锋才是王道

接下来大家跟着我一起连续奋战10天。

——孙正义

企业在发展的过程中会出现分工和整合，当出现了无序状态，作为"企业风向标"的掌舵人就显得尤为重要。

有人说，带队者就应有"平常时段，看出来；关键时刻，站出来；生死关头，豁出去"的素养。

"平常时段，看出来"，是个人素质、潜在能力和品质的体现；"关键时刻，站出来"，是勇气、原则和实力的展现；"生死关头，豁出去"，是一种勇于奉献和敢于牺牲的精神。很多人在关键时刻丧失领导力的原因就是：要求下属"照我说的做"，而不是"照我做的去做"！在关键时刻不能坚持原则，更没有勇气和实力站出来，也就是不敢说"看我的"！

一个人去买鹦鹉，先是看到了一只鹦鹉身前的标牌："此鹦鹉会两门语言，售价200元。"另一只鹦鹉前面则标着：此鹦鹉会4门语言，售价400元。这个买家发现两只鹦鹉都灵活可爱，毛色光鲜，实在是犹豫不决，不知买哪只为好。

这个人转啊转，又突然发现了一只老掉牙的鹦鹉，毛色暗淡散乱，却价格不菲，标价800元。这人赶紧将老板叫来，询问这只鹦鹉是不是会说8门语言。

店主说："不，它之所以价格高，是因为另外两只鹦鹉叫这只鹦鹉老板。"

由此可见，领导者对于团队的重要性。孙正义在软银拥有极高的个人威望，当然不是因为制度设立的权威，而是以身作则，冲锋在最困难的第一线，赢得员工内心真正的拜服。

2004年孙正义竟然遇到了打劫的不法分子。

2月24日，刚刚庆祝完日本建国纪念日（每年2月11日为日本建国纪念日）没几天的孙正义心情不错，像往常一样早早地前往东京软银总部上班。到了公司没多久，孙正义接到秘书电话，收到了一个装有雅虎日本用户资料的匿名包裹。孙正义听到后不由得一惊，为什么会有外人知道雅虎日本用户的资料，要知道，这可是公司的绝密材料。

那一瞬间，孙正义意识到：完蛋了，雅虎日本用户资料失窃。

撂下电话，孙正义直奔秘书办公室。眼前看到的是一叠厚厚的A4纸，上面写满了用户资料。除了这些泄露的用户资料外，还有一张写了寄信人话语的纸片，上面的内容让孙正义火冒三丈。寄信人在信中信誓旦旦地表示，他们已经找到雅虎日本用户资料系统的漏洞，而且愿意帮助软银修复系统漏洞，不过当孙正义看到那近乎天价的"debug"费用时，终于明白这是一场赤裸裸的勒索。

面对如此困境，孙正义最终选择了报警。缺钱吗？当然不是，无论多么高的天价，对于孙正义的软银帝国来说，就像身上的一根汗毛。后来孙正义自己回忆说："不是别的原因，而是对于勒索这件事的反感。不管在什么情况下，绝不会向恶势力低头，他们一分钱也别想从我这拿到。"

2004年2月27日，孙正义在局面尚未失控前主动召开记者发布会。在会上，他坦承雅虎日本约452万人次的用户资料遭窃，并说出了背后被敲诈勒索的经过。在发布会的后半程，孙正义一再向用户表明系统漏洞已经被修复，而且保证之后再也不会发生类似事件。

另一方面，孙正义积极配合东京警方，而且还找到计算机安全方面的专家学者，通过分析盗贼在网络上留下的蛛丝马迹，寻找背后的作案团伙。

这起案件很快水落石出，从孙正义收到勒索要求到嫌疑人落网，前后不到一个月的时间。在这起危机事件中，孙正义用不畏黑恶势力、坦诚面对自身过失的方式，让软银渡过了危机，更因为他一直处于风口浪尖，在软银内部获得了员工的极大信任，这样有担当的领导怎能不令人放心。

当人们问孙正义，为什么要自己冲在最前面时，孙正义直言："这样才能获得员工的信任。"

人通常从两个方面来获得信任：一是能满足他人的期望；一是个人价值能满足他人的期望。比如你是一个能力很强的领导，但是别人不能够预测你的价值将把你带向何方，你就很可能引起他人内心的恐慌。你能摆正心态，但是能力不足，员工也无法信任你。

所以，想获得员工的信任，领导需要同时满足上面两个方面的预期。为了获得这种信任，领导在上任后的第一件事情就是将技术性问题和适应性问题区分来妥善对待，也就是说，能很有效地承担起责任，为组织注入活力，并确保在解决问题的过程中不出问题。

关键时刻，顶在最前面，需要决心、魄力、勇气，更要具备这几种素质：

为目标的实现全力以赴。大多数人都喜欢与将感情和身心都奉献给工作的人共事。

具有超强的解决实际问题的能力。轻而易举地解决掉别人无法解决的问题，能够获得追随。

具有非权力影响力。不仅要关爱员工，还要具有人格魅力。具有较高的道德标准，获得信赖。

一个优秀的管理者，之所以能拥有很高的地位和号召力，并不是因为他比别人聪明，更不是因为他天生就具备这样的才能，而是因为他承担了众人的使命，敢干能担当。

【孙正义说】

顶在最前面才能获得员工的信任。

接下来大家跟着我一起连续奋战10天。

陷入借口圈的人做不了领导

喜欢说"无能为力""有难度""不可能完成"这类话的人，是不能做领导者的。

——孙正义

只要有孙正义出席的公司会议，在会上说出"有难度""做不到"这样的话，是需要相当大的勇气的。因为在你说出这句话之后，孙正义的回应一定是："为什么做不到？""难度到底在哪？""这点困难必须克服。"如果你说因为"外力不可抗拒因素"，孙正义也绝对不会接受。

作为软银CEO，孙正义在公开场合的发言需要特别谨慎，软银的投资者随时都在关注着他的一言一行。任何不适当的举措都可能会引起股价波动，甚至会触犯相关法律。但是最终大家不得不接受一个事实：孙正义就是个做事"罔顾法纪"的人。

有一次雅虎BB安装在NTT机房内的设备出了故障，需要立刻修理，但是由于雅虎的技术人员事先没有申请进入机房，因此门卫将他们挡在了机房外面。不是不能申请，而是等到申请被批准要好几天，这几天之内雅虎BB的用户就连不上网。孙正义亲自出马让门卫放他进去，理由就是：你就算告我非法闯入我也要进去。

孙正义为了事业拼了命地挑战一切"不可能"，在他眼中，没有借口。之所以这样，因为他知道"找借口"对于人的思想的危害有多大。

如果一个人不想做某事，就总能找到充分的借口和理由。借口是懒惰的人给自己开具的精神麻醉药，如工作责任心不强的职员会说："大家都这样工作，我又何必这么认真呢？"生活落魄的人会说："命运之神不倾向自己，我又何必这么努力呢？"……

1. 借口带来"思考放弃症"

每当要付出劳动时，人们总是找借口来安慰自己，总想让自己轻松些、舒服些。人们都有这样的经历：清晨闹钟将你从睡梦中叫醒，一边想着该起床了，一边又不断地给自己寻找借口"再睡一会儿"，于是又躺了5分钟，甚至10分钟……结果导致时间紧张，匆忙上班，乃至迟到。

其实借口是人的惰性心理在作怪，因为选择借口就意味着能享受到"便利"，借口也带来了"思考放弃症"。

2.不想做时，一定能找到借口

当人们不愿意做一件事情时，往往在做之前就已经想好借口。于是，人们就会产生这样的心理：能够完成当然是好事，不能做好也是情有可原的。

休斯·查姆斯担任美国国家收银机公司销售经理时，有段时间，公司的销售量一直在下跌。为此，销售部门不得不召集全体销售员开一次大会。查姆斯先生主持了这次会议，他请手下最佳的几位销售员站起来，要他们说明销售量为何会下跌。这些销售员在被叫到名字后，一一站起来，每个人都有一段令人震惊的悲惨故事向大家倾诉：商业不景气、资金缺少、人们都希望总统大选揭晓之后再买东西，等等。每个销售员都在列举使自己无法达到平常销售业绩的种种困难。

这些销售员的理由的确没有错。但是，公司安排销售员这个职位，是为了解决问题，而不是听他们做困境分析。

这样不负责任的人怎能担当领导者的重任？那么，该怎样培养自己"借口吞回去，办法想出来"的思维呢？

1.树立"没有解决不了的问题"的思维

"方法总比问题多"，世界上没有解决不了的问题。只要有将问题彻底解决的智慧和毅力，在遇到困难时勇敢面对，便会离成功越来越近。

2.重视找方法

领导者所经历的困难与挫折不比常人少，但是，他们总能找到解决问题的好方法。

我们不妨来看看下面这个寓言故事：

人们结伴去寻找一座金山。当他们沿着一条大路前进时，前方突然出现一条大河，挡住了前进的道路。河水奔腾不息，而金山就在河的对岸，怎么办？

人们一直靠双脚在行走，双脚把他们带到了河边，但陆路已是尽头，再用双脚是走不过这条大河的。人们陷入了困境，于是，绝大多数人无功而返，因为"不能走过去"是大家都知道的，所以他们未能到达对岸；另一些人改变了陆地行走的姿势和习惯，学会了游泳，但是河太宽，体力根本不能支持他们游到对岸，于是也无功而返；还有一些人临河沉思，偶然看见一块圆木在河里漂浮，于是有了灵感，意识到圆木能将他们带到对岸，结果他们发明了船，最后到达金山。

能渡过大河的人才有资格做领导者，因为他们善于找方法，借助水的浮力和木材的特点最终到达河对岸。

3. 向身边的优秀者学习

优秀的人要向更优秀的人学习。"近朱者赤，近墨者黑。"和最优秀的人在一起，不知不觉中自己也会变得优秀。

【孙正义说】

你就算告我非法闯入我也要进去。

喜欢说"无能为力""有难度""不可能完成"这类话的人，是不能做领导者的。

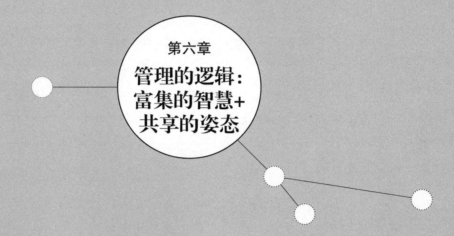

第六章

管理的逻辑：
富集的智慧+
共享的姿态

不管是哪种管理方式，管理者的角色永远都是团队的协调者。

兰契斯特法则：集中力量啃硬骨头

你一旦有了工作重点，你就有了更深刻的了解，事情就变得很容易了。

我在生病的时候，读了4000多本书，学到的知识我一生都受用无穷，而兰契斯特法则无疑是最重要的。

——孙正义

1983年，孙正义因肝病卧床不起。为了充实自己，也为了让自己没有时间去为现实的种种烦心，孙正义开始大量读书，他在一位美国学者的书中首次见到了兰契斯特法则。

兰契斯特法则的创始人是出生于英国的技术工程师F.W.Lanchester。他本职是个汽车工程师，在担任奔驰汽车公司顾问期间，他把兴趣的对象转移到飞机上，并对螺旋桨有深入的研究。

在Lanchester研究螺旋桨的同时，他开始对空战的数字发生兴趣，譬如几架飞机对几架飞机的战斗结果将如何，互相被击落的概率大概是多少。为了解清楚，Lanchester更进一步去收集各种地上战斗的资料，探索兵力的比率和损害量之间是否具有某种固定的联系。这就是兰契斯特法则的由来。第二次世界大战以后，Lanchester的研究被美国商人应用到营销战略管理中，并写入孙正义看到的书中。

兰契斯特法则主要有以下4点内容：

1. 营销力量如何分配。企业以最低成本获得最高利润的前提条件是战略力与战术力的比例至少为2∶1。这决定了企业营销战略中营销力的基本分配关系。

2.“3∶1”理论。竞争双方战斗力的关系在局部战中发展到3∶1，弱者反败为胜已不可能。当两竞争对手之间市场占有率之比超过这个数字时，弱方应及时放弃经营，另辟蹊径。

3. 强者与弱者的差异。实力弱小的公司在战略上应以一对一为中心，创造单打独斗的战略区域和战略性产品，避免以所有产品和所有区域为目标。选定特定的用户，展开局部战斗，以点的反败为胜，连点为线，连线为面，取得最终胜利。

4. 地位差异战略。在营销过程中，必须考虑企业在产业和市场中的位置。在许多攻击目标中，首先集中力量对付射程范围内的敌人，避免多方树敌。

用一句话总结兰契斯特法则，就是“这是一个专为弱者打造的法则——避开正面，集中力量，各个击破”。

孙正义成立软银的时候，是不折不扣的“弱者”，他毫无背景、资源，甚至连办公场所都不稳定。但是“狼行千里吃肉”，是“狼角色”无论在什么情况下都与众不同。

软件银行创立后不久，孙正义发行了《Oh！PC》与《Oh！MZ》两本针对单一机型的个人电脑资讯杂志，就是运用弱者战略。当时，市面上已经存在《ASCII》《I／O》《MY COM》等综合信息杂志，孙正义根本没有兵力去与这些杂志正面冲突，因此才会把焦点放在单一机型上，以集中兵力。

当时，公司内外对出版单一机型信息杂志有许多的反对意见，但对孙正义而言，这是站在弱者的立场所应采取的战略，也是相当正统与合理的战略。正面对抗是“鸡蛋碰石头”，自寻死路；涉及面太广，又会因自身实力不足而死掉。唯一的办法就是找到对方最弱的地方，狠狠地打一仗。

孙正义说："日本史上的桶狭间战争，织田信长使用奇袭战法击败今川义元的大军，这就是弱者战略。乍见之下，这是一场毫无胜算的战争，尽管如此，织田信长仍然打赢了这场战争。"

相对于两万兵力的今川军，织田军只有2000兵力，兵力差距为10:1。按兰契斯特法则来看，兵力比为10:1，织田军根本不可能打赢今川军。因此，织田信长挑选今川军队转变为细长队形的唯一机会，袭取主帅的项上人头，打了一场漂亮的胜仗。

借助孙正义的经营手法，结果令人满意，原来半年都卖不出去的杂志，在3天内就销售了10万册。杂志在亏损了半年之后，终于获得盈利。在两本杂志之后，孙正义又接连出版了《Oh！FM》《Oh！55》《Oh！Hit Bit》等6本杂志，并且在今后的许多年里，它们每年都为软银贡献25亿日元收入，8本杂志的总销量也居同类型杂志销量的榜首。

【孙正义说】

唯一的办法就是找到对方最弱的地方，狠狠地打一仗。

这是一场毫无胜算的战争，尽管如此，织田信长仍然打赢了这场战争。

团队一体化策略：群狼方阵

盯住它！

——孙正义

孙正义身高不到一米六，矮小的个头加上他说话时的和风细雨，他很少被人认为是一个凶悍的人。可是，不要忘了孙正义是从一穷二白的地步起家的，这其中经历的腥风血雨早已把他由一个"乖乖仔"磨砺成了"嗜血的狼"。

与时刻展示自己凶悍一面的人不同的是，孙正义选择将这一面深藏，只在关键时刻才会露出来，告诉别人他不是好惹的。一位著名职业经理人曾说："孙正义天生就是个有'狼性'的人。"其实，不仅孙正义本人，就连他的软银和旗下企业都流着"狼"的血液。

孙正义将他的狼性基因传到软银旗下的每一个公司，将数百个旗下公司组成"群狼方阵"。在"狼群"中，每匹狼既重要又不重要，每匹狼都不是全能的，可是缺了其中的任何一匹都无法完成围捕、狩猎。旗下的公司就像一匹匹狼，也许单独的一个公司没有多大的威力，可是当他们处在头狼的指挥下，就能够彼此优势互补，发挥出恐怖的实力。

那么究竟狼的身上有什么特质，让孙正义如此推崇？狼在捕猎的过程中，有一种代代相传的本能，那就是对一个目标"咬定青山不放松"。狼不会在面对许多猎物时，让自己的精神分散。经营企业一样如此，如果三心二意，想把每只猎物都尽收囊中，会很轻易地耗尽自己的体力，最终一无所得。对猎物的专注，不仅能产生强大的爆发力，更能提高命中率。另外，专注还可以让企业更容易修正和提高自身的"狩猎"技巧。企业家在面对许多诱惑时做不到心无旁骛，这是企业经营的大忌。

狼是一种极讲求团队合作、极善于协同作战的动物，是所有群居动物中最有秩序、最有纪律的种群。常言道，"恶虎难敌群狼"，"群狼能败狮"。可见，狼族群体作战具有何等的威力。狼群从来不会漫无目的地围着猎物胡乱奔跑、尖声狂吠，而总是制定充分的战略，通过相互间不断沟通与合作，来实现狼群共同的愿望与目标！

剥去"狼群"的外衣，孙正义所推崇的正是"群狼方阵"的团队管理文化。那么，这种管理文化包括哪些内容呢？

1. 共同确定"狩猎目标"

团队的每一个成员对自己和群体的目标十分清楚，并且深知在描绘目标和愿景的过程中，共同参与的重要性。

当团队的目标由团队成员共同协商产生时，团队成员有一种拥有"所有权"的感觉，并从心底认定"这是我们的目标和愿景"。这样，作为团队管理者，就为以后的工作打下了良好的基础。

2. 团队成员具备"冲锋技能"

每一个成员都具备实现理想目标所必需的技术和能力，具有能够良好合作的个性品质，从而出色完成任务。在一般性的群体中，有精湛技术能力的人并不一定就有处理群体内人际关系的高超技巧。

3. 彼此深信不疑

成员间相互信任，每个成员对其他人的行为和能力都足够信任。团队具有坦诚、开放的沟通气氛，团队成员相互依存，友好合作，公开分享信息和专业知识。当然，维持群体内的相互信任，还需要管理层引起足够的重视。

4. 角色明确

"群狼方阵"中每个成员都清楚地了解他所扮演的角色是什么，知道自己的工作成绩对团队目标的实现会产生什么样的影响，知道什么该做，什么不该做，彼此之间也清楚其他成员对自己的要求。

5. 管理有效

管理者应对团队提供指导和支持，但并不试图去控制它。

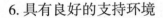
6. 具有良好的支持环境

从内部条件来看，团队要有一个合理的基础，包括适当的培训，以培养团队成员形成必需的技能和知识；一个易于理解的员工绩效评估系统；一个支持团队建设和运作的人力资源系统。

在孙正义看来，建立"群狼方阵"就是在软银的企业基因中种下"狼性"的种子。这样才能将旗下上千家企业的优势发挥到极致。

【孙正义说】

狼群从来不会漫无目的地围着猎物胡乱奔跑、尖声狂吠。

在"狼群"中，每匹狼既重要又不重要，每匹狼都不是全能的，可是缺了其中的任何一匹都无法完成围捕、狩猎。

找到能够过滤无价值想法的伙伴

合伙人就是那个能过滤你想法的人。

——孙正义

孙正义在商海浮沉多年，结识了一群生意上的好伙伴、生活上的好朋友，譬如比尔·盖茨、马云、巴菲特、乔布斯、柳井正等，不过若要问谁是孙正义最重要的朋友，那并不在上面的大牌名单中，而是UT斯达康的创始人——陆宏亮。

这是因为不论孙正义还是陆宏亮，两人都曾表示对方是自己生平最重要的朋友，而孙正义在伯克利的导师——福莱斯特博士甚至说："世界上成功的企业永远有一个核心二人组，一个是狂想家，一个是实干家，孙正义是前者，陆宏亮就是后者。"

孙正义与陆宏亮的相识过程很戏剧。当时陆宏亮在一家名为"玛丽冰激凌"的冰激凌店打工，一天孙正义驾驶他的二手保时捷914跑车路过，希望点一杯奶昔浓稠一点的冰激凌，如果店家做不出来，他将拒绝付钱。因为孙正义的日本口音，服务员并没有完全听懂，只是觉得眼前这个小个子不打算付钱，于是将这件事报告给了值班经理陆宏亮。陆宏亮看着眼前矮小的孙正义，心中不由得有一种滑稽的喜感，因为他自己可是身高超过一米八的棒球手，对面前来"砸场子"的竟然是个小个子。

正当陆宏亮准备和孙正义理论的时候，陆宏亮发现孙正义是日本人，而他自己也是在日本长大的。"他乡遇老乡"，两人一拍即合，直接用日语交流了起来，哪里还有半点火气。这之后，孙正义开始经常来这家冰激凌店，而陆宏亮也是孙正义的学长，所以两人经常交流学业方面的心得。后来，孙正义开始对计算机感兴趣，经常自己跑去实验室里瞎倒腾，陆宏亮则是他的"御用实验助手"。

据陆宏亮说，孙正义属于天马行空的那一类人，脑袋里永远不断有新想法冒出来。有些让他觉得很惊艳，譬如孙正义从汉堡包的包装盒联想到马桶圈，但更多的是一些非常明显的异想天开的想法，看起来根本不可能实现。"孙正义是看大方向和提想法的人，不是做实事的人，如果让他做事的话，肯定会失败。"面对好友陆宏亮的"吐槽"，孙正义也只能表示默认，他的确在一定程度上依赖于陆宏亮的"过滤"，让他能够专注于某一两个想法上。

人们在佩服孙正义那充满创意的大脑时，也对陆宏亮的"信息处理能力"表示钦佩。要知道，每天面对孙正义提出的有用的、没用的信息，要从中挑出有价值的信息，有时候甚至还要启发孙正义，这绝不是一般人能做到的。而陆宏亮对于信息的过滤能力，除了一部分来自天分，他也曾对信息接收、处理的方法进行过总结，仅信息"占有"就有4种方法：

1. 阅读法

通过快速阅读文书、报刊等获取信息。运用此法注重一个"快"字，阅读时不考虑其他事情，但要尽可能多接触相关的资料。

2. 捕捉法

利用电视、广播、网络，甚至电话、会议等渠道来捕捉信息。运用此法要注意保持客观的态度，聚精会神地听，了解说话者的意思，把握其意图。

3. 调查法

从各项实际工作中收集信息，要掌握调查方法，进行缜密的调查。一些全球出名的公司如美国电话电报公司、杜邦、IBM等都非常喜欢到最佳作业典范企业进行现场调查，理由是可以得到更为真实的第一手材料。

4. 交换法

用你自己拥有的信息与别人进行交换，以获取对方的信息。正如有人说："你拿一个苹果与别人交换苹果，你只得到一个苹果。但你拿一条信息与别人交换信息，那你就得到了两条信息。"

孙正义也明白陆宏亮对于自己的帮助有多大，所以当他开办自己的第一家公司——M Speech System Inc时，第一个找的人，也是唯一的合伙人，就是陆宏亮。现在看来，孙正义的选择无疑是正确的。后来，孙正义说自己挑选陆宏亮不仅仅因为他是自己的好友，而是经过一番慎重考虑的："做生意一个人是不行的，但是，必须慎重选择合伙人。"

选择合伙人之前要明确自己合伙的目的，再分析对方的优缺点，综合考虑选择。找到合伙人并非就万事大吉，还要经历日后经营中的磨合期。创业者在挑选合作伙伴时要注重考察对方是否具有以下几个特征，以避免在日后的经营过程中产生重大分歧，不利于事业的稳定发展：

1. 志同道合

合伙人合作的最大基础就是志同道合、目标一致。"志"指的是目标和动机，从广义上讲包括创业的动机、目标及创业者的规划等诸多复杂的内容，动机方面可以是赚钱、扬名、实现理想等；"道"就是实现"志"的方法、手段，即经营理念和经营策略。拥有共同的目标和经营理念是合作的基础。

2. 优势互补

一个优秀的经济联合体不仅能够为合作方能力的发挥创造良好的条件，还会产生一种新的力量，使各自的能力得到"1+1＞2"的效果。最成功的合作事业是由才能和背景各不相同的人合作创造出来的。

3. 德才兼备

重德轻才，往往导致与庸人合作；重才轻德，往往导致与小人合作。无论是庸人还是小人，与之合作注定会失败。

4. 明确利润分配

许多人合伙创业喜欢采取对半的权益分配方法，但这种方法常常因合作方意见不一而导致经济纠纷，无形中阻碍了发展。所谓"一山不容二虎"，创业也是一样，决策权往往只能集中在一个人手里，才能在众人意见不一时做出最终决断。否则，一旦开始赢利，冲突必定随之产生，合伙人之间意见必然会有分歧，尤其是涉及金钱时，合伙人之间的矛盾可能会变得不可调和。

【孙正义说】

世界上成功的企业永远有一个核心二人组，一个是狂想家，一个是实干家。

做生意一个人是不行的，但是，必须慎重选择合伙人。

做智慧企业：头脑风暴的8个要求

现在每个人先把自己的想法写在白板上，然后再一起讨论。

——孙正义

在软银，你很少在开会中途听到关于一些问题的争执，更多的是关于计划执行、反馈之类的讨论。不是软银管理层"出工不出力"，不愿意与同僚争执，而是几乎所有重大问题都在孙正义主持的头脑风暴中解决。

头脑风暴法（Brain Storming），又称智力激励法、BS法。它是由美国创造学家亚历克斯·奥斯本于1939年首次提出，1953年正式发表的一种激发创造性思维的方法。作为一种创新方法，头脑风暴法在《韦氏词典》中被定义为：一组人员通过开会方式对某一特定问题出谋划策，群策群力，解决问题。

就像岩石碰撞会产生火花，思想的碰撞同样能够激发创新的火花，头脑风暴便是一种智慧碰撞的讨论方法。在自由的讨论中，汇聚各种各样的思路，大家各抒己见，才会产生更多的好方法。

头脑风暴法的核心是召开头脑风暴会议，奥斯本为头脑风暴会议制定了5条原则：

1. 庭外判决。过程中对所有的想法都不做任何评价，不管是赞同还是反对，评价过程放到会议结束之后。

2. 数量为上。想法越多，产生好想法的概率越大。

3. 在规定时间内，不断重复这个过程。每个人每次只提一个想法。

4. 当没有想法时，就说"过"。当有人提出和别人相仿的建议时，主持人不要说"这个别人已经提过"。

5. 提倡自己思考，不要私下讨论，防止对别人的思维产生干扰。

这种方法适合于解决那些比较简单、无严格确定的问题，比如研究产品名称、广告口号、销售方法、产品的多样化研究等，以及需要大量的构思、创意的行业，如广告业。

孙正义是头脑风暴法的拥趸，而且他的方法更为独特。孙正义会选择一间不大的会议室，让里面坐满与会者，营造一种"挤在一起"的氛围，这样也会让讨论进行得更热烈一些。在头脑风暴开始前，孙正义一般会要求大家保持安静，不准许交头接耳，从别人那里"窃取"想法。然后就是每人发一块随时可以擦拭字迹的白纸板，让大家在白板上写下自己的想法。

为了更好地让软银员工参与头脑风暴，孙正义提出了8个要求：

1. 参加会议的人员控制在10人左右，开会时间以半小时为宜。

2. 每次讨论的问题不宜太小、太狭或带有限制性，但讨论时必须针对问题的方向，集中注意力。

3. 主持人至少需提前10天通知会议主题，发言时不可照本宣科，会上不允许个别交谈，以免干扰别人的思维活动。

4. 在会上不允许批评别人提出的设想，禁止做出评论性的判断。

5. 不允许用集体提出的意见阻碍个人的创新思维。

6. 鼓励自由想象，提倡任意思考。哪怕是幼稚荒唐、不可能付诸实施、无任何价值的设想，都欢迎提出来。

7. 要求每个人尽量改进别人的设想，或提出更新奇的想法。

8.与会者人人平等，没有权威，没有上、下级。

当问到为什么选择这8个要求的时候，孙正义表示无奈，因为日本人相对比较守规矩，但也容易在上司面前不敢发表相悖的意见，而通过上面的要求，就能破除一般会议加在人们头脑中的无形枷锁。

头脑风暴之后，孙正义会要求会议秘书整理出讨论的要点和过程，然后把那些行不通的想法处理掉，选出好的想法，将这些优秀的点子进行分组，再通过一定的标准选择每组中的最佳点子。

【孙正义说】

有什么想法都写出来。

不要私下讨论。

不开放无异于等死

开放是我在美国学到的最重要的东西，绝不做顽固派。

——孙正义

迈克尔·桑德尔是美国著名政治哲学家，美国人文艺术与科学学院院士，在哈佛大学教授政治哲学，他的本科通识课程《公正：该如何做是好》备受年轻人的欢迎。30多年来，上万名学生听了他的课，这是哈佛有史以来听众最多的课程，选修人数曾创下哈佛大学的历史纪录。近几年，这门哲学公开课被搬上网络，风靡全球，迄今为止已有1000万人次点击观看。

不仅仅是这一门课，现在哈佛、耶鲁、斯坦福、伯克利、麻省理工等诸多世界级名校都在互联网上开放了很多精品课程。按理说，对于哈佛、耶鲁等名校而言，正因为其教育资源宝贵到稀缺的地步，所以全世界的学习者才趋之若鹜。现在它们公开了自己赖以吸引人的课程，不是等于自毁长城吗？

从短期来看，这种说法好像有一点道理，因为手握稀缺资源是每个人的希望。但是从长远角度来看，一旦某些精英掌握资源而不与外界分享，最后的结局一定是社会败退，精英阶层也会随之消亡。下面这个故事，可以很好地说明这一道理：

一个精明的花草商人，千里迢迢从遥远的非洲引进了一种名贵花卉，培育在自己的花圃里，准备到时候卖个好价钱。对这种名贵花卉，商人爱护备至，许多亲朋好友向他索要，一向慷慨大方的他却连一粒种子也不给。

第一年春天，他的花开了，花圃里万紫千红，那种名贵的花开得尤其漂亮。第二年春天，他的这种名贵花卉已繁育出五六千株，但他发现，今年的花没有去年开得好，花朵略小不说，还有一点杂色。到了第三年，这种名贵花卉已经繁育出上万株，令他沮丧的是，那些花的花朵变得更小，花色也差很多，完全没有了它在非洲时的那种雍容和高贵。当然，他没能靠这些花赚上一大笔。难道这些花退化了吗？可非洲人年年种养这种花，大面积、年复一年地种植，并没有见过这种花会退化呀。他百思不得其解，便去请教一位植物学家。

植物学家问他："你的邻居种植的也是这种花吗？"他摇摇头说："这种花只有我一个人种，他们的花圃里都是些郁金香、玫瑰、金盏菊之类的普通花卉。"植物学家沉思片刻后说："尽管你的花圃里种满了这种名贵之花，但毗邻的花圃中种植着其他花卉，你的这种名贵之花被风传播了花粉后，又沾上了毗邻花圃里其他品种的花粉，所以你的名贵之花一年不如一年，越来越不雍容华贵了。只有一种办法可以改变现在的情况，那就是让你邻居的花圃里也都种上你的这种花。"于是商人把自己的花种分给了邻居们。次年春天花开的时候，商人和邻居的花圃几乎成了这种名贵之花的海洋——花色典雅，雍容华贵。这些花一上市，便被抢购一空，商人和邻居们都发了大财。

想要拥有名贵的花园，就必须让自己的邻居也种上同样名贵的花。精神世界也是这样的，如果不懂得和别人分享，就只能是孤芳自赏，甚至背上自闭与不通事理的骂名。

2007年1月，苹果推出首款iPhone，带来了多项革命性的理念：首次采用多点触摸界面，将键盘隐去，尤其是对第三方Web2.0和各种应用程序的支持，使之成为依托在开发商网络基础上的生态系统。

面对这个陌生对手的入侵，诺基亚本该在第一时间做出反应，但封闭和自大让它反应迟缓。他们轻蔑地称苹果为"那个加州的水果公司"，在他们看来，这款智能手机不过是在键盘和屏幕上增加了一些新的花样而已。

然而，iPhone与诺基亚以往推出的智能手机有着本质上的区别，用乔布斯的话说，"iPhone重新定义了手机"。智能手机是以应用商店来定义的，可以说应用软件有多少，手机就有多"智能"。iPhone缔造的是一种全新的生态系统，通过苹果应用商店，让内容提供商与用户通过互联网在苹果的平台上对接。

苹果应用商店是世界上最大的应用平台。苹果将70%的收入给了开发商，开发商在这里获得的回报要比在其他平台上高得多，因此吸引了更多有实力的开发商。

　　iPhone的智能是一种群体智能，它虽然"封闭"了自己的核心硬件和软件，但对于第三方软件始终是开放的，是开发商们聚集的平台。从这个意义上讲，它和亚马逊的"网上超市"模式亦无本质的不同。苹果的应用商店之所以能做到天下第一，靠的不是开放源代码，而是一种与开发商共享繁荣的佣金制度。令人遗憾的是，诺基亚完全误读了iPhone带来的革命性影响，对未来手机市场格局的改变更是缺乏想象。

　　面对苹果发起的智能手机革命，谷歌首先做出反应，联合34家其他软件开发商和电信运营商组成了"开放手机联盟"，2008年10月，谷歌公布了为这个平台打造的开放源代码操作系统——安卓（Andriod），用来对抗苹果独家拥有的iOS系统，谷歌公司深受欢迎的网络软件如谷歌地图、Gmail、网页浏览器等被打包在内。三星是最早拥抱Andriod系统的成员之一，也是Android手机第一生产商。

　　此时，诺基亚才开始有所动作，打算建立一个属于自己的操作系统。也就是说在苹果的iOS、谷歌的Andriod和微软的Windows Phone之外建立第四个操作系统。不幸的是，Symbian是一个过时的生态系统。该系统对触摸屏、多媒体、新操作界面的支持都较差；在同互联网的交互界面方面，更是具有先天的劣势，代码复杂，严重限制了第三方应用程序的开发。相对三星的快速跟进战略，诺基亚排斥Android系统的做法是固执的，代价更是高昂的。

　　永远不要将自己当作中心封闭起来，在互联网时代，企业需要在开放的知识网络节点上建立一个让第三方加盟的平台，这一点尤其重要。

　　封闭、保守、独享只会让自己变得越来越小，而不是越来越大。只有坚持"开放共赢"的理念，才能真正满足已经步入移动互联网时代的产业环境和消费需求。

同样的，孙正义也看到了软银的未来。也许现在软银领先同行，但是如果软银紧紧抓住手中的"秘密资源"，不与同行或后来者分享，那么最终的结局一定是行业败退，软银也将随之走向没落。所以，在软银，你经常能听到的一句话就是：不开放，你是在等死吗？

孙正义如何实施他的开放战略？

面对同行，孙正义不会诋毁竞争对手，反而经常公开表达对对手的尊敬。

面对后来者，孙正义给他们提供培训、资金，甚至与他们共享软银内部的技术资源。最大的惊喜莫过于软银开放智能机器人Pepper的周边程序开发一事，这让全世界的机器人爱好者兴奋不已。

同时，开放还意味着多样性，各种各样的"生物"都能在软银找到合适的生存土壤。软银的多样性主要体现在两个方面：

1. 软银的业务范畴。孙正义在日本被称为"日本先生.com"，究其原因是软银集团已经庞大到几乎占据日本电子信息领域的方方面面。美林证券的分析师认为，超过70%的日本互联网经济都被孙正义掌控，以至于网民在网络上登录的各种网址可以合称为"日本先生.com"。

2. 软银的员工构成。以软银的"大脑"——董事会为例，日本迅销集团CEO柳井正、中国阿里巴巴董事长马云都是孙正义聘请的独立董事，而这都是孙正义开放心态的体现。

【孙正义说】

还不开放，你是在等死吗？

不要诋毁竞争对手，要表达对对手的尊敬。

量化管理，数字说话

我是一个数字化的人，数字从不会说谎。只有数字才能将纷繁复杂的事务简化到本来的面目。

把时下流行的概念比如云、大数据先自己彻底活用，让我们的服务改善真的具备科学的数据分析背景，才能用有限的设备投资与别人竞争。

——孙正义

阿基米得曾经说："给我一个支点，我就能撬动地球。"我们也可以说："给我一组数据，我就能复制地球。"为什么这么说呢？数据到底能告诉我们多少信息？

在回答这个问题之前，不妨这么假设一下：现在我们正在野外的一块空地上挖掘，突然我们挖出了一个不明物体，这是一个规则的长方体。我们手上唯一的工具是尺子，现在我们量出了它的长、宽、高，也就能够算出它的体积。接着，我们发现这个长方体实际上是一个实心的大金块，那么根据黄金的密度我们可以算出它的质量，并根据当前黄金的价格对其估价；如果我们发现这块金块是贵重的文物，却不知道具体是什么时候的，我们可以把它带到实验室做碳14鉴定，了解它具体制造于哪一年，进而推测是谁制造的，这中间又发生了哪些故事，等等。

从一开始我们只知道它是一个长方体到后来我们掌握它的来龙去脉，整个过程中我们是如何增加对它的认识的？其实，我们只是逐步采集到了这么一些数据：

1. 这是一个长方体；

2. 这个长方体的长、宽、高；

3. 我们已知的知识告诉我们：体积=长×宽×高，质量=体积×密度，黄金的密度=19.3克/立方米，由此得出物体质量；

4. 由当前的金价，我们可以估算出这块金块值多少钱；

5. 碳14的半衰期为5700年，计算出这块金块的碳14含量，就知道它制造的年代。

…………

这一过程中，我们采集到的具体数据越来越多，最后得到的信息也越来越多。我们采集到的数据多少，决定了我们对它的描绘精细与否。对一块金块是如此，对这个地球同样是如此。当我们掌握的数据足够多，多到足以完美描绘这个地球的任何一个特征，我们就能够将地球数据化。同样，我们采集到一个人的数据足够多时，就能很好地用数据描绘这个人。

由此可见，一切皆可数字化。

很多传统观念告诉我们，有些东西是可以量化的，而有些东西不能够量化。比如，一个书法家每天写了多少字是可以量化的，数数字数就知道了，而写字的优劣是没办法量化的，因为每个人欣赏眼光不一样；一个鱼缸里有多少鱼是可以量化的，而整个地球的海洋里有多少鱼是没法量化的，实在没办法去估算。现在，需要转变这个观念。

只要能够找到观察问题的方式，并从一个新的角度去衡量它，不管从这个新的角度衡量它到底精准度如何，只要它能让我们知道得比以前更多，那么它就是一种可行的量化方法。实际上，对那些看似不可量化的东西，人们总能找到相对简单的量化方法。

一个不懂得量化管理的人，经常会这样说出自己的困惑：

我怎么知道产品受不受欢迎？

我怎么知道产品宣传效果好不好？

我怎么知道主要用户是哪类人群？

我怎么知道产品的用户体验如何？

通过数据。

没有数据的运营，是少了一只眼睛的美女。因为在运营前期的User Story建构，导流量，产品反馈，用户调查，一切的一切都是在"规划"的指导下进行。这个规划很美好，很理想，也很想当然。因此，运营需要用事实来证明这个想法不只是空中楼阁，这个事实就是数据。

数据中隐藏着大量的信息，用户的日活跃、月活跃、留存度、版本活跃度等可以反映前期各种运营手段的效果；各个功能的使用数据，可以告诉你用户体验和习惯；想知道产品的性能，可以去看程序的崩溃点、运行效率等。这些数据类型也正是微信运营中最关注的，比如性能数据就是腾讯在数据运营上极看重的。在马化腾看来，不只是微信，腾讯任何产品在技术方面的失败都会让一个产品死掉，因为支撑优秀用户体验的基础是优秀的技术。

"运营真不能再出问题了。IDC和应用抗故障两方面都要加强，否则功亏一篑。"这是2007年QQ邮箱时常出现运维故障后马化腾发出的感慨，现在，腾讯通过核心的系统和业务数据异常波动来发现问题。

亚马逊的贝索斯是一个极度推崇"用户中心"的人，因此他也是一个极关注数据的人。据说，亚马逊一天会用几百种不同的算法来为用户推荐商品，并从中分析用户反应。

也许很多人都没有关注过亚马逊首页上的一个细节：购物车原

本在左边，后来移到了右边。这是页面设计师的审美变化吗？不是，这是亚马逊通过分析用户使用购物车的习惯，通过试验结果得来的数据优化UI设计。

一个健康的产品和一个健康的人一样，有各种指标。基于数据说话会让你的运营更有底气，因此我们要定期，每天、每周、每月都给产品做体检，分析它的各方面数据指标。在亚马逊，没有数据支持的提案通过概率低到可以忽略不计。听说那里员工的口头禅不是"我认为"，而是"数据认为"。

在软银，不论是产品管理、季度总结、愿景阐述、日常报告，你都不会听到"很好、一般"之类的描述，有的只是数字。

比如业绩考核。在软银，不论是谁的汇报都必须以数据作为支撑，仅仅一句"相比昨天增加了600名用户"或者"同比增长5%"是完全不够的，一定会被上级追问到底，否则就是送到孙正义手中也会被发回重做。

孙正义首先会问"这个月的法定工作日是多少天"，因为天数的不同会引起员工业绩的很大起伏；其次会逐天询问增减情况，尤其是节假日与正常工作日之间的区别；然后才会关注两个月之间的对比结果；最后则需要员工预设下个阶段的目标数字，下一次报告时将两者进行对比，超额完成自然有奖励，没有完成目标就需要深刻反省自己。

孙正义对于数字的痴迷，最直接的体现是他提出的"找到产品的1000项要素"。孙正义要求下属对特定产业的1000项指标进行图表化，从而使人对产品的各方面情况一目了然。他甚至认为检查项目可以增加到1万个。

软银集团作为一家巨无霸型企业，每时每刻都有不同的活动在进行，也许这个部门刚刚就雅虎宽带的销售进行促销，另一个部门就着急使用场地进行苹果手机的展销会。面对如此繁多的活动，该在什么时间、什么地点，采用什么样的方式才能取得最好的宣传效果？孙正义习惯以数字为指导原则，通过对比数字，优化出最佳方案。

譬如要进行一场关于雅虎宽带的促销活动。孙正义会要求员工先进行以下工作：

1. 用户的构成调查。通过对海量用户资料的归类整理，最终发现年轻人占据绝大多数，那么这场活动的理想地点一定是在东京涩谷（日本潮流文化中心）之类的地方。

2. 选择合适的时间。一般情况下，都会选择在上班族休息的周末进行。但即使是这样，孙正义还是会要求对比出周六好还是周日好，甚至需要给出准确的时间，譬如下午1点到3点。

经过调查之后，这场活动会确定时间地点，"周日下午1点到3点在涩谷进行的促销活动"。这就是孙正义通过数据对比指导活动的流程。

通过引入数字量化管理模式，孙正义让软银和旗下上千家公司从纷繁复杂的管理要素中跳脱出来，用一组组简洁明了的数据忠实地诊断自身发展状况。这样不仅能让孙正义对每个公司都了如指掌，而且为他节省了大量时间，否则根本不可能同时处理那么多的事情。

【孙正义说】

一切皆可数字化。

软银坚决辞退任何不会用数字说话的员工。

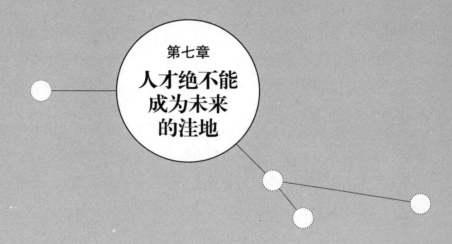

第七章
人才绝不能成为未来的洼地

我一直都想在60岁的时候退休，把权力交给接班人，这样我会有更多的时间陪伴家人。不过我知道这个目标并不是那么容易实现，要找到孙正义2.0，这个过程是不可能一蹴而就的，不过哪怕是等上10年我们都会愿意。

眼睛必须要有神

你的眼神不错。

——孙正义

如何招聘、选拔自己认可的人才，是每个企业管理者都头疼的问题，因为不管是怎样完备的考察系统，总会有遗珠之憾，也会有滥竽充数的人被挑中。与一般企业家不同，孙正义在选拔人才时有一个自己的小妙招，那就是观察应聘者的眼睛是否有神。

在众多因为"眼神很好"而被录用的软银员工中，简井多圭志是最富传奇色彩的一位。

在很多人眼中，简井多圭志完全是一个不折不扣的"怪人"，因为他性格古怪，做事方式也很粗暴，穿着更是不修边幅，常常穿着睡衣就出门，再加上思想比较前卫，很多人都把他当作怪胎，避之唯恐不及。

孙正义却是拼了命地想挖到简井多圭志，因为除了上面这些怪癖之外，简井多圭志还是一位专门研究ADSL技术的"极客"。每当谈起ADSL技术或者其他有关计算机的内容时，简井多圭志会变得很兴奋，完全没有平时的佝偻形态，眼睛散发着光芒。这正是孙正义最看重的地方。

为了得到简井多圭志，孙正义下血本买下已经陷入经营危机的ADSL服务商东京Metallic公司，而这家公司正是由简井多圭志等几位ADSL技术研究人员合办的。这样一来，孙正义就成功地让这个

"眼睛很有神"的科学怪人成了自己的雇员。

为了显示自己的诚意，孙正义让初来乍到的简井多圭志作为宽带项目的负责人。这一决定遭到其他员工的强烈反对，因为他们觉得简井多圭志是个新兵蛋子，而且看上去很怪。不过最后孙正义力排众议，依然让简井多圭志担任负责人，哪怕是其他员工以辞职相威胁他也坚持这么做。事实也证明孙正义看人之准，软银宽带在简井多圭志的带领下，一路攻克众多技术难题，为软银宽带的推广打下了坚实的基础。

其实从科学研究的角度也可以找到孙正义"眼神论"的依据。英国人类学家戴斯蒙德·莫里斯在《人体秘语》中谈到了关于人的眼神的理论。莫里斯将人的眼睛比喻成"最复杂的摄影机"，他认为，即使是一闪而过的眼神中也包括万千信息，包含着丰富的情感，能够将隐藏在内心深处的秘密透露出来，无论是眼球的转动还是眼皮的张合运动和视线的移动、头眼之间的配合，无不传递着信息。

在人际交往中，人与人的目光接触对信息的传递有着非同寻常的作用，因为不同的眼神能够反映出交往者不同的心理，所表达的心理效果自然也不相同。举个简单的例子，一个不善交流、内向，甚至略带自卑的人在与人交流时，视线一般不会完全集中在对方身上，或者一旦发现别人的眼神与自己交汇便马上转移自己的视线；而一个始终将目光集中在对方身上的人必然是一个自信、积极主动的人，他的倾听更为真诚，也表达出尊重和理解的情感。

因此，一般眼睛有神的人，属于精力比较旺盛，做事比较积极自信的类型，换句话说，是自燃型的人。所谓自燃型，就是排除私心、充满激情地主动做事，同时给予别人正面的带动和感染。自燃者大多积极主动，绝不是机械地等待别人吩咐才行动的人，他们拥有自己的理想和自发的强大动力。

当然，观人眼只是看人的一部分。中国古人也曾留下看人识才的经典方法，也就是"八观六验"。

所谓的"八观"，说的是：

1. 在他通达、过着很顺利的日子时，要注意看他礼遇的是些什么人；

2. 在他显贵、发达时，要注意看他举荐些什么人；

3. 在他富贵时，要注意看他供养、收养些什么人；

4. 在他听取意见时，要注意他将采取些什么行动；

5. 在他闲暇无事时，要注意看他有什么喜好和嗜癖；

6. 在与他探讨问题时，要注意他说些什么话、怎样说话；

7. 当他贫穷时，要看他不接受什么东西；

8. 当他处在下贱阶层时，要看他绝对不做什么事情。

"六验"的具体意思是：

1. 当他高兴时，要检验他什么地方没有过分的表现、所守的事情没有因此而开放；

2. 当他快乐时，要看清他的癖好；

3. 当他发怒时，要看清他的节制，能否保持理性；

4. 当他恐惧时，要看清他是否保持着足够的自制力；

5. 当他哀伤时，要看清他为何哀伤，透过这种哀伤能否看到他的仁慈之心；

6. 当他处于苦难中时，要看清他这时所秉持的始终不渝的志向。

不管是"眼神论"，还是"八观六验"，核心观点都是"不拘一格降人才"。不管是怎样的"奇人、怪人、疯子"，孙正义都不会因为人才的外在而先入为主地排斥人才，毕竟，孙正义自己就一直被人称呼为"怪人""疯子"。

【孙正义说】

即使你们全部辞职，我也不会接受这样的威逼。

我喜欢你的眼神。

肯定努力的人，让拖后腿者心生耻感

拉低平均成绩，好意思吗？

——孙正义

在日本，很少有员工会持有所在公司的股票，而软银却有不少管理层甚至普通员工持有软银股份。这一点让软银的员工在经济上和公司有了更深的瓜葛，主人翁意识也就随之提升。不是其他日本企业家想不到或者舍不得，而是日本社会比较反对这样的做法。向来特立独行的孙正义却不管外界的看法，硬是把自己的股份无偿送给了一些优秀员工。面对质疑，孙正义说："我不能辜负努力的人。"孙正义的做法不仅能够激励优秀员工，更能刺激到抱持无所谓态度，整天不思进取的员工。

这背后是对人性的洞悉与把握。

人与人各自不同，但又有相同之处。根据调查，不管人的地位、财富、受教育程度等背景是否相同，只要将超过40个人放在一起，他们会自动分化为开创者、主动者、随大流者、懒惰者4类。换句话说，用40个博士和40个文盲进行分组对比，你会发现每组里面都有这4类人，而且比例大致相仿。同样，在软银也分布着这4类员工。到底各类员工是怎样的，他们的特质又是什么呢？先看下面这个故事：

有一天，佛陀开示弟子们道：

"世间有4种马：第一种良马，主人为它配上马鞍，驾上辔头，它能够日行千里，快如流星。尤其可贵的是当主人抬起手中的鞭子，它一见到鞭影，便能够知道主人的心意，迅速缓急，前进后退，都能够揣度得恰到好处，不差毫厘，这是能够明察秋毫、洞察先机的第一等良驹。

"第二种好马，当主人的鞭子打下来时，它看到鞭影不能马上警觉，但是等鞭子打到马尾的毛端，它也能领受主人的意思，进而奔跃飞腾，这是反应灵敏、矫健善走的好马。

"第三种庸马，不管主人几度扬起皮鞭，见到鞭影，它不但迟钝毫无反应，甚至皮鞭如雨点般挥打在皮毛上，它都无动于衷。等到主人动了怒气，鞭棍交加打在结实的肉躯上，它才能有所察觉，按照主人的命令奔跑，这是后知后觉的庸马。

"第四种驽马，主人扬起了鞭子，它视若无睹；鞭棍抽打在皮肉上，它也毫无知觉；等到主人盛怒，双腿夹紧马鞍两侧的铁锥，霎时痛刺骨髓，皮肉溃烂，它才如梦初醒，放足狂奔，这是愚劣无知、冥顽不化的驽马。"

良马和好马就是企业中表现积极的人。庸马和驽马是生活中许多平庸者的生存写照，他们总是抱怨老天对他们太苛刻，太不公平，抱怨企业没有为他们提供更好的舞台，给他们以施展才华的机会。

庸马和驽马对应的就是拖后腿、抱怨、懒散的员工。面对他们该怎么办，这是每一个企业管理者都要面临的问题。有的企业家采取比较"简单粗暴"的办法，譬如直接开除。"暴力手段"能够解决问题，但也会导致新的问题，那就是员工表面服气，心眼里不服，而且"道高一尺，魔高一丈"，耗费心神在与员工做斗争上必然是双败的结局。

社会学家横山宁夫在他的著述中曾提出"最有效并持续不断的控制不是强制，而是触发个人内在的自发控制"这一观点。后来，许多管理者根据横山宁夫的理论总结出"横山法则"，这成为激发员工主动性的有力武器。

横山法则向管理者揭示了一个提高管理效率的秘密：让员工自发管理才是最有效的管理方式。也就是没有管理者要求、强迫，员工就能自觉而且出色地完成自己的工作。

为了让员工从内部燃烧自己，孙正义制定了一整套有效的激励制度，他认为，最重要的就是了解下属的需求。那么，该如何根据需求来调动积极性？在下属的工作能力范围内，分配一些有难度、有挑战性的任务，这会让他们觉得自己有能力胜任这份工作；提供一些新鲜有趣的任务让他们研究，这能够满足人天生的好奇心；给任务加些理想主义色彩。虽然管理者的任务是帮公司赢利，但也要让下属觉得他们为世界变得更加美好做出了贡献，哪怕只有一点点；让下属对处理自己身边的事情有一定的权限，管理者要听听他们是怎么想的，并且帮他们把想法变成现实；避免给同一个人安排重复性的工作，多变激发干劲。

带队伍的人可以把这些原则写下来，张贴在对自己来说醒目的位置，每周甚至每天检查一下自己是否做到了。而一旦这些管理原则成为你根深蒂固的思想，好的管理手段和管理效果就自然而然产生了。

其实，孙正义的这一措施实施得并不顺利，因为鼓励优秀员工、贬斥懒散员工与日本追求平均的文化相悖。在日本，由于传统文化和教育的原因，向来鼓励"大家一样、不分先后"的平均文化。这样的文化不仅致使企业员工更愿意随大流，不思进取，就连小学生体育比赛都不愿意分出胜负，造就了一种"大家都是平均的"的幻觉。

孙正义对于这种想法很反感，他觉得如果不鼓励优秀的人，不贬斥落后的人，长期下去，团队就会失去追求卓越的动力。所以，很有必要采取非常规手段加以鞭策。西方管理学的"热炉法则"认为，企业应当营造一种制度环境，当下属在工作中违反了规章制度时，要像去碰触一个烧红的火炉一样，让他感到"烫"：

1. 即刻性。当你一碰到火炉时，立即就会被烫伤。

2. 预先示警性。火炉是烧红摆在那里的，你知道碰触则会被烫。

3. 适用于任何人。火炉对人不分贵贱亲疏，一律平等。

4. 彻底贯彻性。火炉对人绝对"说到做到"，不是吓唬人的。

管理者必须兼具软硬两手，既惩罚拖后腿的员工，也要大力肯定干得好的人。肯定员工包含以下内容：将每个人的工作内容公之于众，无论业绩高低；让优秀员工有机会参与公司重大决定的讨论；在公开演讲中，经常提及优秀员工的名字；公开展示顾客对某些员工的感谢信；把成功的功劳归功于副手；经常跟骨干说，你真棒，我不能没有你，等等。

对优秀的人不吝嘉奖，其实也就将拖后腿的人晾出来，让他有一种落后挨打的耻辱感。"知耻而后勇"，让落后的人感到脸红，他们才能自己动起来。

【孙正义说】

如果不鼓励优秀的人，不贬斥落后的人，长期下去，团队就会失去追求卓越的动力。

我不能辜负努力的人。

新"阿米巴"治愈大企业病

这一次，我要彻底治愈日本的大企业病。

——孙正义

大企业病是一个世界难题，所有做大了的公司都应该担心自己是不是患上了大企业病。发展起来的软银也不可避免地患上了这种病。软银从最初几个人的小公司变成几万人的大企业，又是无数的第一在身上，伴随而来的则是公司层级增加，出现大公司病，妨碍了企业创新。10年前要见孙正义，直接给他本人打个电话就行，10年后再见到孙正义，中间要经过很多程序。

恐龙脚上踩一个刺，几个小时以后它的脑子才能反应过来，这样不管你长到多大，都会灭绝。

究其原因，孙正义认为如今的员工很可能觉得软银是个大公司，一旦能够进来就能很轻松地拿高薪；而老员工也失去了创业初的激情，开始逐渐变得懒散。

尽管业界不少人都致力于研究这一问题的解决办法，仍没有一个明确的途径。所以当孙正义真的宣布自己要亲手治愈软银"大公司病"时，员工都为之一震：孙正义的本事固然非同一般，可要真正祛除在日本国内普遍存在的"大公司病"绝非易事。对于孙正义的这一想法，公司上下纷纷给出否定回答："这样的顽疾我们是不可能治愈的！"

要想解决这个问题就必须找到一个突破口，给团队指出一个明确的努力方向。经过分析，孙正义发现自己的员工主要存在两个问题——没有危机意识以及缺乏对成功的迫切渴望。所以孙正义颁布一系列整顿公司懒散氛围的措施，同时对公司高层进行调整。

但这些还都只是表面文章。最终，孙正义在公司内引入了前辈稻盛和夫先生的阿米巴管理方式。先将公司全体员工按固定人数分成若干小组，选定小组负责人，小组内产生的问题由组员讨论解决，无法解决的问题由负责人及时上报，并由管理层在两个工作日内给出答复。小组的业绩实行每日上报，由专职部门负责收集，公司定期对小组业绩进行考核，考核不合格的小组立即解散，负责人及组员并入其他小组。

孙正义认为，"阿米巴组织"有三大好处：

一是不会有赋闲的员工，可避免浪费过多的人力资源；

二是组织的扩散力强，员工的相互沟通频繁，员工的进取力增强；

三是能够培养出更多优秀并且有潜力的员工，为企业的领导阶层储备后备人才。

Semco是巴西一家大型集团公司，CEO叫里卡多·塞姆勒。塞姆勒在1980年从父亲手里接过公司，并进行了大刀阔斧的改革，包括裁员60%和进行大量的战略并购。一系列举动让Semco有了大的转变，和所有的大型工业化公司一样，组织关系也变得十分高效，但是塞姆勒并不满意。他觉得员工对自己的工作不感兴趣，而且彼此之间的关系糟糕。大量的工作也让塞姆勒的健康每况愈下。用他自己的话说，他在想一种方式能够"不必花费精力监督员工什么时间上班，去掉那些繁文缛节的规定和人为的琐事，以一种更简单、更自然的方式经营公司"，最终他找到了方法：不控制，让系统自己运作。

塞姆勒从小事情开始实践他的设想，比如他将差评不断的员工餐厅交给员工自己来管理，结果不再有人抱怨；他还让员工自己决定上下班时间，以应对圣保罗市糟糕的交通状况。渐渐的，这种民主式的管理被扩大到各个方面。

在Semco，员工的薪水都是由他们自己来决定的，允许在全公司平均水平的基础上加10%，包括资金也是。公司利润的25%属于员工，但是由员工自己决定该如何分配这笔钱。Semco的员工权利甚至大到可以决定公司从哪些业务中退出或者进入，投票选举公司的领导人。在这里，公司的五年计划公告、组织结构图都被取消了，员工只需要看一本薄薄的员工指南，里面是对Semco管理方法的介绍。

这种挑战传统企业管理的做法当然受到了很多质疑，其中最多的是关于公司组织会失控的质疑，但事实证明塞姆勒的方向并没有错误。他的这种管理方式让公司的员工非常团结。1990年，巴西经济面临着十分严峻的形势，Semco和其他许多企业一样不得不考虑裁员。由于长期民主式管理，员工们对于公司的状况都有透彻的认识，因此他们不但没有在面对裁员时感到不安，甚至还有人主动要求被裁员。

事实还证明，Semco公司不仅没有失控，而且就算掌舵人缺席，公司也依然运转良好。2005年，塞姆勒遇到车祸，生命垂危。他不得不为了接受手术而离开公司好几个月，但是公司的运转没有受到丝毫影响。事实上，在公司10年，这位"甩手掌柜"从来没有给自己设立一个办公室，而且他经常两三个月没有出现在公司里。

稻盛和夫创立的阿米巴，就是划分小团队，明确职能的一个很好的经营方式。"阿米巴"是将企业分成一个个小组织，形成的最小基层组织，也就是最小的工作单位，一个部门、一条生产线、一个班组甚至到每个员工。每人都从属于自己的阿米巴小组，每个阿米巴小组平均由十二三人组成，根据工作内容分配的不同，有的小组有50人左右，而有的只有两三个人，然后再确认每个小组的职责。每个阿米巴都是一个独立的利润中心，就像一个中小企业那样活动，虽然需要经过上司的同意，但是经营计划、实绩管理、劳务管理等所有经营上的事情都由他们自行运作。每个阿米巴都集生产、会计、经营于一体，再加上各个阿米巴小组之间能够随意分拆与组合，这样就能让公司对市场的变化做出迅捷反应。

与稻盛和夫的"阿米巴"经营不同，针对需要上报的业务报告，孙正义要求员工在报告中列出详细的指标。以往在做这些工作时，通常会列举十几种指标，最多也不会超过100种，而现在，孙正义对员工的要求竟然是至少1000种。为什么非要是1000种？

软银的目标是要做到最好。如果十几项就可以表述清楚，当我们列举到几百项时就可以把业务状况表述得更细致，当列举到上千种时就足够把每一项指标都细化到极限，这样一来即使业务中存在极其细微的错误也能很轻易地被发现。

实现这个"不可能做到的任务"后，软银开始出现变化，能够在随时保持健康和活力的同时修补偶尔出现的漏洞。孙正义将一个在旁人看来不可能完成的任务做到了极致。

【孙正义说】

不要说"这是不可能完成的任务"这样的话。

我要亲手治愈日本的大公司病。

如何创造平台催生接班人

我愿意等上10年，只要能找到孙正义2.0。

——孙正义

几乎每家公司都会遇到接班人的问题，已经打上孙正义烙印的软银想要平稳地交接班，并不是一件容易的事情。有的公司采用聘请职业经理人的方式，有的企业采用家族成员继承的方式，而孙正义的办法是专门成立一家以培养软银接班人为目的的学校，发掘潜在的接任者。

寻找接班人并非易事，联想创始人柳传志曾说起他在选择接班人时的经历：

"人的因素最要紧，人的考察难度最大，选择人要看'前脸'也要看'后脑勺'，就是说要看他在你面前做了什么，也要看他在你背后做了什么。如果我真是打算把谁往更高层次去用的话，考察的时间一般会很长，从多方面去了解这个人的德行。比如如何对待同事，对待家人，对待一般人，甚至吃饭时如何对服务员，各个方面的态度。德的方面，要有事业心，对公司负责任，对员工负责任。然后看他的学习能力。真的重用的话，得观察两三年，但是两三年以后，并不见得机会就到了，等到机会合适的时候再起用。"

孙正义又是如何处理接班人问题的呢？2010年6月举行的软银股东大会上，孙正义面对上万名软银员工及股东说："今年是软银成立30周年，我们将会举办一场别致的庆祝会。更为重要的是'软银DNA计划'终于将在下个月拉开序幕。"所谓"软银DNA计划"开始，意味着谋划多年的软银学院终于成立。

同年7月28日，东京汐留软银总部大厦25层，孙正义面对台下坐着的300名"学生"激动地说："欢迎大家，你们是软银学院招收的第一批学生，未来你们就是软银帝国的掌舵人。"

为了保证找到最适合的接班人，孙正义没有把眼光局限在软银内部，根据他的设想，每期300名学生中有270人来自软银内部，30人来自社会各界，不限出身、背景。即使在软银内部，报名也不受职位、地域的限制，任何软银人都可以报名，哪怕是门口站着的迎宾员也一样。

接下来就是如何考核遴选的问题。对于这个问题，常见有6个标准：

1. 共同信念和价值观标准；

2. 忠诚与牺牲精神；

3. 审时度势、独当一面的指挥能力；

4. 搭班子、建队伍的管理能力；

5. 团结多数、使集体成员通力合作的协调能力；

6. 孜孜不倦、吐故纳新的学习能力。

孙正义的选拔标准较为笼统，他说："我希望接班人继承的是创新精神这一本质，而不是在方法上因循守旧。"

如何能培养出具备开拓创新精神的继承者，软银学院显然要颇费点心思了。

在软银学院，孙正义的案例或者语录不是绝对的标准，教授们采用批判的态度对待孙正义的真实案例。每周三，300名学员聚集在一起，以个人、小组等方式探讨企业经营中会遇到的各种难题，而且每次课程后都会进行考核，每半年会淘汰掉排名靠后的10%。

具体的上课方法是大家在一起讨论一个常规话题，譬如企业遭遇信誉危机时该怎么办。

讨论结束后，对比软银的真实案例出来再讨论，每个人都要上交一份分析报告。

最后软银学院会让孙正义来讲述当时他是如何做出反应的，以及这样做的原因和后果。

之后，每个人还会面对软银学院的教授进行一次5分钟的演讲阐述，学院的老师会依照个人表现打分。表现不好的人自然是被淘汰，新的学员补充进来，而表现好的人则需要继续学习，甚至需要和孙正义一起进行一场没有休息的7小时商业沙盘演练，最终最出色的人将会被孙正义挑中选作接班人——而这意味着身价瞬间达到上亿美元，管理的资金将超过上千亿美元。

软银学院的培训流程是孙正义一手打造的，培训方法也是他多年经验的总结。

除此之外，孙正义在培养接班人方面还积极吸取同行们的优秀经验，如"4个e和永恒的E"。

4个e分别是"前瞻"（envision）、"实施"（execute）、"激励"（energize）和"果断"（edge）的英文首字母，E则是"道德"（Ethics）的英文首字母。这一标准要求员工在激烈竞争的商业环境中，要有远见和创新精神；激励自己和领导团队达到目标；迅速行动，以结果为导向；在复杂情境中勇于决策，敢于冒险；在商业活动中坚守道德，包括对人保持不变的尊重和操守完美，诚信。

人力资源部门提供"领导人才标准评估服务"，具体包括180度或360度的评估、评估报告分析、制订个人培养计划、后续辅导等部分。这样可以使每个人清晰地认识自己的能力和在组织中的位置，系统地制订自己的长期职业规划，开发个人发展计划。

如今的软银学院运转良好，300名依然在训的"学生"中，有软银的各层管理者、软银之外的成功企业家，甚至还有学者。至于前几期学生中被淘汰的人，也有了更好的去处，因为软银投资了上千家企业，这些软银学院的学子正好可以派上用场。

通过这种方式，孙正义也许在短期内难以发现优秀到可以做继承者的人，却会寻找到很多有能力带领一家公司的管理者。

【孙正义说】

我希望接班人继承的是创新精神这一本质，而不是在方法上因循守旧。

任何人都有机会。

新员工的批评也要听取

企业管理者最重要的就是有一双倾听的耳朵，要能听见正确的批评，并且接受，哪怕是刚进来的新员工的意见。

——孙正义

孙正义曾经在推特上写过这样一句话：正确的批评使我进步，错误的批评增强我的耐受度。

从这句话不难看出，孙正义是个乐于接受他人批评的领导。

事实也的确如此。孙正义不仅通过各种方式征求意见、搜集看法，而且还会在制度上和措施上鼓励大家献计献策，对于正确的意见及时采纳，对于突出的想法给予奖励。因为如果下属煞费苦心提出的宝贵建议，领导者根本不认真对待，这就会严重挫伤大家的积极性，以后也就不会再有人那样热心了。

不过，刚开始实施这些方法的时候并不顺利，日本社会比较反对太有个性的人，进而导致有些人把"人和"定义为不吵不闹，企业中很容易出现没有反对意见，开会一致通过等现象。管理者一般不愿看到下属之间发生争端，同样他也不喜欢下属反对他的意见。如果有四五种意见提出来的话，他会感到不知所措，而后也不过说："今天很多很好的意见被提出来了，因为时间关系，会议暂时到此结束，以后有机会再慢慢讨论。"想尽办法去追求"人和"，却恰恰忘了很重要的一件事：一致通过的意见不见得是最好的。

孙正义是这么看的，身为领导者，抚慰、礼遇下属就必须舍得花时间听一听他们的怨声，不满并不意味着不忠。一般人认为对某一事情不满的人一定对公司、管理部门充满怨恨，这是极为狭隘的看法。

从心理学来说，情绪化的人喜欢发表意见、支配别人，他们的骄傲、自尊与正义感容易受到感情的支配。实际上，许多人都会鼓励对方释放长期压抑的怨气，在一吐为快后，他才能以平静的心情来做自己的事情。

对这样的下属就需要倾听。心理学中的倾听实际上并不单指"听"，而是指使用各种技巧，"听"出对方讲的事实，体验的情感以及持有的观念。在听的时候，上司得全身心地投入，关注对方的非言语行为，如肢体语言、面部表情，通过感受对方声音的抑扬顿挫去体会对方的感情，从而听出对方的弦外之音，无声之音。

此外，也得在聆听对方时注意自己的面部表情。心理学家建议，首先不管对方的情绪如何，要避免目光逼视，避免目光四处游走不定，目光最好也不要显示与述说者过于亲密。

许多管理者能够完整地听完对方的话，不打岔不抱怨，但那并不见得就是真正的倾听。若是出现以下这些情况，就是虚假的倾听：

1. 寻找区别。管理者在听下属说话的时候，挑出话语中那些自己认同的和不认同的部分，听到认同的就点点头，听到不认同的就说"是这样……但是……"。这样的聆听者并没有真正去理解对方的话。

2. 自说自话。这类管理者完全赞同说话者，但他们只是单纯听对方说话，对方说完之后，他们会继续说自己的话。而在对方说话的时候他们考虑的是自己接下来要说什么。

3. 只抓部分。说话者提到的某一点突然让管理者产生了一个想法，然后管理者开始深入考虑这个想法，完全不顾说话者说的其他东西。不管管理者的这个想法是否有作用，事实上这并不是真正的倾听。

4. 口头同意。不管说话者说了什么，管理者总是先安抚对方，口头上接纳对方的意见或者表示同情和理解，但是他们实际上并不赞同对方的观点，更有甚者心思完全没有放到对方说的话上。

为了避免犯上面的错误，孙正义采用自我反省的方式来让自己做到不固执己见。他曾在推特上写道："一年过去了，我在这一年做了155件'应该反省'的事情。"要做到听取他人批评，反思自己，可以尝试做以下6个方面：

1. 对身边发生的事情，常思考它们的因果关系；

2. 对做不到位的执行问题，要找出它们的根本症结；

3. 对习以为常的做事方法，要有改进或优化的建议；

4. 做事情要养成有条不紊和井然有序的习惯；

5. 经常找几个别人看不出来的毛病；

6. 自己要随时随地对有所不足的地方补位。

【孙正义说】

一年过去了，我在这一年做了155件"应该反省"的事情。

一致通过的意见不见得是最好的。

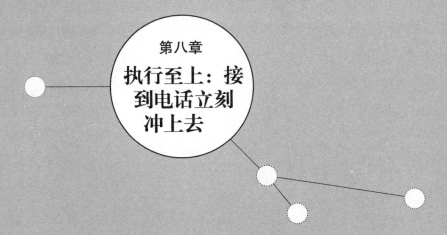

第八章

执行至上：接到电话立刻冲上去

我们有重点，我们只把重点放在信息技术产业上。因此过去20年的每一天，我唯一想的就是信息技术。我的知识已经储备好，包括行业、技术、人员等方面的知识。所以只要看到项目，我就能在第一时间判断它是否具有可操作性。

企业只需要一个思想家

一个是三流的点子加上一流的执行，一个是一流的点子加上三流的执行，我的选择是前者。因为没有执行，再好的点子也只是点子。

——孙正义

小时候有个大梦想，是个最平常不过的事情，这是每个人都曾有过的"无知岁月"。孙正义之所以能够实现他那些看似高难度的梦想，靠的就是他的执行力、行动力。

"当你下定决心，开始动手的时候，你已经成功了一半。"

而最能体现孙正义"三流点子，一流执行"的就是他的"灵感银行"，他靠着最普通的词汇搞出了众多发明，不仅养活了自己，还养活了当时还是女友的大野优美。

当时，孙正义每天花费5分钟，想出3个最普通的词汇，然后记在本子上。经过大半年的积累，孙正义留存了几千个词汇。面对一堆纷繁复杂、毫无头绪的词汇，怎样才能使其变成一个个实在的发明呢？"怎样才能使用好这些灵感，最重要的是找到合适的使用方法。"孙正义开始琢磨发明的模式。经过一段时间的总结，孙正义总结出自己的发明心得：

第一类，解决具体问题的发明。譬如说常用家庭插座的插孔很容易进入异物，不小心可能就会触电，在插线孔上安装一个弹簧挡板就可以很好地避免这个问题。第二类，基于外形、颜色方面的改变。譬如说男、女卫生间的标志，如果只是写个"男""女"，就会显得很生硬，而且有一点不得不考虑，那就是老人、儿童等人认字不多的情况，所以换一种方式画上一个西装领带的男士和一个穿着裙子的姑娘。第三类，组合型的发明。譬如说"钢笔"和"语音"原本是完全不搭界的两个词汇，而孙正义就可能联想到两者结合后的产品——录音笔。

利用上面3类思路，孙正义开始最大化利用手头上的宝库，他一头扎进伯克利的计算机机房，自己设计了针对每一个词都有几十项评价指标的打分系统，对各个词汇进行发明可能性排名。通过对"新颖度""便携度""颜色亮丽程度""发明难度"等一系列的打分选项进行对照之后，孙正义开始从得分最高的一些词汇组合开始思考他的发明。

近300个词自由组合，将会得到2000多万个不同的结果。而经过孙正义的打分排名，什么是最有可能的专利发明，哪种组合最富有创意，将会一目了然。后来孙正义还将他自创的这一套打分系统上交给计算机课的老师，老师给出了A++的最高分。

平心而论，孙正义记录"马桶""键盘""水杯"之类的词汇实在不是什么一流的点子，但是他胜在能够坚持执行下去，因此才能将人们脑海中常见的创新点一网打尽。

在孙正义的"灵感银行"笔记本中，足足记录了近300条点子，虽然大多数最后都没有实现，但还是有相当一些点子成为现实，其中最著名的当属坐便器上的坐垫。当时就是因为孙正义不停地思考关于发明的事情，结果在上厕所的时候觉得马桶圈又冷又硬，他从汉堡包的包装得到灵感，用装汉堡的聚苯乙烯泡沫制作了马桶坐垫。

当人们问起孙正义为什么能坚持下来的时候，他笑着说："其实当时也是迫于生活压力，但松下幸之助先生的事情还是给了我很大的鼓励。"日本的"经营之神"松下幸之助刚出道时也是身无分文，但是他靠着二通插口和自行车车灯两项发明起步，最后建立了松下集团。孙正义受到松下幸之助的启发，以发明专利作为自己事业起步的开端。

孙正义的老搭档马云同样坚持执行大于想法。

马云曾将阿里巴巴称为"一支执行队伍而非想法队伍"，他多次强调，迅速地去执行一个错误的决定要好过优柔寡断或者没有决定。因为马云知道在执行的过程中，已经有足够的时间和机会去发现并改正错误。

阿里巴巴创建初期50万元的原始资本就是马云与18个创业同伴在家中募集的。从此，马云的家成了阿里巴巴的办公室，员工住的地方不能离马云家超过5分钟，每天深夜回家睡几个小时马上又开始工作，对于执行的重视得到充分的体现。

马云和孙正义都属于带有偏执性格的人，在他们的认知中，企业只需要一个思想家，其他人都必须是执行者。阿里巴巴唯一的思想家，就是马云自己；软银唯一的思想家，就是孙正义。

【孙正义说】

一支执行队伍而非想法队伍。

其实当时也是迫于生活压力，但松下幸之助先生的事情还是给了我很大的鼓励。

动机无差错，就值得一做

只要能让这个世界产生一点变化，就是我最大的愿望。

——孙正义

做事情到底为了什么？

孙正义最常说的几个回答是：

人一定要改变一点世界，哪怕是一点点；

讨论未来世界的生活方式是一件令人感到兴奋的事情，因为那改变可能有我的微薄力量；

跟那些能改变世界的人一起做事，是我最大的幸运；

…………

不难看出，孙正义这辈子做事业最大的梦想就是"能让世界因自己而有细微的不同"。换句话说，孙正义做事求的是最终的结果，而不是中间的纷繁过程。

关于这两者之间的区别，其实就是效率和效能的区别。管理大师彼得·德鲁克曾在《有效的主管》一书中指出，效率是指以正确的方式做事，而效能强调的则是做正确的事。

在一家糖果商店中，店里明明有许多营业员空闲，顾客却宁愿挤在同一个柜台前买糖，难道是其他营业员不热情或者短斤缺两？原来，受顾客一致欢迎的那个营业员每一次抓糖果的时候，第一次一般都不会超过顾客所要的分量，然后，当着顾客的面一点一点地加进去，直到分量足够为止。顾客看到的是不停地加糖，心里觉得很满意，当然也就愿意光顾这个营业员的柜台了。而其他的营业员往往是第一次抓很多的糖果，然后再不停地减少，顾客们心里当然就不舒服了。

与这位卖糖果的营业员一样，孙正义做事虽然追求效率，但是当效率与效能冲突时，他明显会选择效能，即"只要是正确的事，都要做一做，哪怕是得罪一些人"。

2004年8月，软银为了打破NTT和KDDI对无线电波段的垄断，孙正义再次发起了一场向总务省施压的活动。不过与2001年独胆英雄式的"自焚法"不同，这次孙正义决定发动日本民众，一起呼吁总务省做出政策改变。

为了唤起民众的共情心理，孙正义先是给大众上了一堂"什么是无线电波波段"的科普课。

2004年8月6日，日本总务省发布了《800MHz波段下的IMT-2000频率分配草案》，在这份草案中，总务省将所有800MHz的频段分给了日本的移动巨头NTT与KDDI，而软银只分得2GHz的无线电波频段。

接着，孙正义指出，正因为NTT与KDDI独占最优资源，而且不思改革，所以日本民众的电话费才会那么高。为了让民众有更直观的感受，孙正义在日本发行量最大的5家报纸上刊登了全版广告。在广告中，有一幅相当显眼的对比图，表明了日本和其他国家，包括美国、英国、韩国、法国等国之间的话费对比，从图中可以很明显看出日本的人均话费超出平均水准。

孙正义这一招最有效，因为每个人都关心自己的口袋，月底看着高昂的话费清单，那可是每个日本人都有的糟糕体验。通过电话费对比引起人们对这件事的极大关注后，孙正义的终极撒手锏也终于亮相：集体签名请愿。2004年9月6日，一幅孙正义的照片出现在日本的大街小巷。照片中的孙正义一脸愤慨，旁边配上了他的话："如果我们继续选择对这种垄断行为视而不见，那么这个国家的移动话费将永远那么高。为了我们自己，请向总务省请愿吧！"

这则广告在日本引起了轩然大波。很快，超过3万条公众意见汇集到了总务省的公共留言区。不仅如此，孙正义还向600多万的雅虎或软银用户发去了呼吁，希望他们在关键时刻站出来。

当然，最后孙正义并没能撼动日本总务省。

在"冲击总务省"的整个事件中，孙正义花费了大量的心血、时间、金钱，甚至搭上了软银的名声和未来，因为开罪总务省可不是什么好玩的事情。那么孙正义是为了什么呢？商人果真"无利不起早"吗？

事情已经过去多年，人们没有看出孙正义从这场运动中得到太多实质的经济利益，可能唯一的回报就是孙正义成了民众心中敢于站出来说真话的人物，软银也因此赢得了广泛的良好声誉。

为了这点虚名搭上一辈子的事业，一般企业家不会这样做，这正是孙正义的特殊之处，只要不是不良的动机，他愿意一试。

【孙正义说】

人一定要改变一点世界，哪怕是一点点。

讨论未来世界的生活方式是一件令人感到兴奋的事情，因为那改变可能有我的微薄力量。

晒目标，让外力倒逼自己错不了

目标明确说出口的比较好，承诺将会推动你前进。

——孙正义

在日本，孙正义有"吹牛大王"的外号，因为他经常对外说一些异想天开的大话，说完大话还能完成承诺，这一点是让人钦佩的。

2010年3月，一位富士摇滚音乐节的乐迷在推特上发文抱怨音乐节上的手机信号问题，这条平平常常的推特信息无意中被孙正义看到，他立即在下面跟帖问道："富士摇滚音乐节什么时候举办？"自此，富士摇滚音乐节上手机信号不好的问题走入了公众的视野。

每个人在参加人挤人的集会活动时，都有手机信号不好、接打电话不顺畅的糟糕体验。原因是大量手机聚集在一起，给移动运营商识别、传递信号带来了很大的不便。而这个现象在日本著名的富士摇滚音乐节上显得尤为明显。

为什么移动运营商不进行改变呢？答案是"不值得"。富士摇滚音乐节不过短短4天，要想改善手机信号问题却至少需要提升信息容量到原有的100倍以上，无论是人力、物力、财力，还是从长远角度来看，移动运营商们都不愿意为了这短短4天去做冤大头。

但是还没开始行动，甚至都没有和软银的相关部门知会一声，孙正义就在推特上对外公布说："今年我们软银移动将会在富士摇滚音乐节上提高手机信息容量100倍以上。"

一言激起千层浪。要知道，孙正义当时是日本粉丝量第二大的"大V"，粉丝数量达66万人之多。一时间，网络上到处都是抱怨、揶揄软银移动的话语，软银移动的员工也被这位"口出狂言"的社长搞到无语。因为当时距离富士摇滚音乐节开幕不过短短数月，这项任务根本不可能完成，而孙正义"白纸黑字"的承诺无疑将软银推到了风口浪尖。

2010年3月26日，孙正义在推特上写道："我已经和软银移动的负责人达成一致，将在接下来的时间内稳步推进改善音乐节信号的方案，扩大当地的手机信号容量。"

7月13日，软银移动负责人发文称："我们一直在推进之前定下的政策，目前进展良好。届时将在原有基础上增加100倍的移动信息容量，并且建设移动信号基站。不过如果大家集中使用手机的话，还是有可能出现信号不好的问题。"

8月1日，富士摇滚音乐节如期开幕，开幕日会集了上百万乐迷，大量软银移动的用户在孙正义的推特上反馈："信号很好！"当看到一条条刷新的消息时，孙正义知道自己终于赢得了这一仗，最后他在推特上写道："是的，移动信号流量增加了100倍，我实现了年初的诺言。"

仔细想来，这种事前公布自己目标的做法可以说是孙正义和软银的招牌做事方式。孙正义曾说："将自己的目标早早地公布出去，虽然有实现不了的风险，但是它背后的鞭策作用会让自己更加努力，所以值得这样做。"孙正义看似"口出狂言"，其实每一次豪言壮语的背后都是他对于软银的人力、物力、财力等资源的深度了解，他清楚软银可以在短时间内做到什么样的程度，所以他在公布目标时也以软银的最大限度为基准，很少会出现诺言成为戏言的事情。

孙正义这种公布目标的经营方法，与前辈松下幸之助的"玻璃式经营法"类似：

1. 核心内容是公开经营目标。松下幸之助很注重向部下和员工公开经营目标，每年每月从不间断。这种公开可以唤起员工的责任感和工作热情，例如1932年，公司使命的宣布给每位员工都提供了梦想的机会，伟大的梦想造就了这个伟大的公司。

2. 公开经营实况。松下幸之助把喜讯带给员工，请大家分享成功的欢乐；他也把坏的消息都说出来，依靠大家的力量，一次次渡过难关。

3. 公开财务状况。这种方法可激发员工的进取热情，大家听到盈利结果后都兴奋地认为，这月如此，下月要更加努力。

4. 技术公开。松下幸之助曾经为了合成材料的配方而苦苦探索，可是当他自己招收员工生产时，却把这种别家公司视为"最高机密"的配方、技术等都告诉给了工人。松下幸之助的理由是："公司成员之间彼此信赖，至关重要，小心谨慎地保守秘密，心事重重地经营，实在费力，也难有好的成效，对培养人不利。"

公开目标，既是对自己的一种督促，也能让用户对你产生信任，因为他们全程跟踪。所以，于内于外，都应该让自己透明起来。

【孙正义说】

我们将在接下来的时间内稳步推进改善音乐节信号的方案，扩大当地的手机信号容量。

公开目标，虽然有实现不了的危险，但是同样可以用公众的监督促进工作进展。

10秒内想不清楚的事，再想也是白费力气

与其浪费时间胡思乱想，不如立即行动。

——孙正义

互联网是一个快速发展的行业，每天都有新的事物产生，用户需求变化得非常快，竞争也很激烈，一旦速度跟不上，就会被淘汰。互联网经济的典型特征是"快鱼吃慢鱼"，这个道理自然很多人都熟悉。

互联网产品爆发是在3~7天，决胜期是1个月之内，如果想成功还必须持续创新。所以，在开发的过程中小步快跑，快速迭代是制胜关键。

在飞速发展的互联网行业中，产品是以用户为导向随时演进的。因此，在推出一个产品之后要迅速收集用户需求进行产品的迭代——在演进的过程中注入用户需求的基因，完成快速的升级换代裂变成长，才能让你的产品保持最高水平的用户体验。不要闭门造车以图一步到位，否则你的研发速度永远也赶不上需求的变化。

面对互联网的瞬息万变，孙正义给自己立过一个标准：决定一项事务只需要10秒钟。否则即便是通过大量分析和研究得出质量最优的决策，一旦错过最佳的投资机会，这样的决策也是毫无用途的，很多时候决策速度往往比决策质量更加重要。在他看来，每天都有无数事情需要决策者做出决策，如果每件事都要思考很长时间才能得出好的结论，那么这些结论未必算得上是最好的结论。

纵观孙正义的投资生涯，不论是6分钟投资马云，半小时投资UT斯达康，还是半天投资雅虎，他都是在短时间内做出决策，哪怕上亿美元的大手笔也是如此。

企业是企业家的孩子，企业家具备什么样的性格，或多或少地会影响到他的企业。孙正义不仅要求自己做事果断，同时对员工也有这样的要求。

在软银，没有员工面对孙正义的提问会以"尚在商议当中"来回答，因为他们都很清楚，这样的回答得到的只能是批评。如果一件事情尚在商谈之中，那么只有两种可能存在：

第一种是这件事情确实缺少决策的依据，没有继续讨论的必要，如果尚在商谈之中，那就说明相关负责人没有尽到自己的责任，做事没有效率。

第二种是这件事情已经有明确的决策依据，或者相应的评判标准，如果没有依据相应的标准果断做出决策，同样是负责人的失职，因为他们在决策开始前就已经放弃决策任务。

　　这种办事拖拉、推诿，效率低下的现象普遍地存在于其他小公司中，但孙正义不允许自己的公司存在类似的情形。他要求下属递交的每一份报告中都只包含确定的结论，不允许涉及正在商谈中的事情；如果有需要商谈的事情，可以得出结论后再递交。

　　在创业获得成功后，孙正义开始从事风险投资，寻找合适的互联网投资机会，他提醒自己："机会总是稍纵即逝，没有太多的时间留给你去仔细思考。"每年找孙正义投资的公司都有几百家，他只选择其中的10%进行投资。这10%如何选择？用孙正义的话说：一是企业的领导者要能在10秒钟内打动我。

　　不仅求助的创业团队要在10秒内打动他人，被打动的企业家也要在短时间内做出决策，否则也只是"白白打动"。

　　一架飞机正由纽约飞往洛杉矶，客舱里的一块镶板松动了。镶板尖锐的突起划破了一位乘客的裤子，他把这件事情告诉空中小姐。空中小姐手边没有工具，无法马上修理，于是她把这件事情记录下来，预备到达目的地时再向联络办公室的人报告。可是联络办公室里除了一部电话和一套对讲系统以外，也没有工具。这时，空中小姐已经把问题反映上去了，在她看来，自己的工作算是完成了。当天下午，报告被送至相关部门。半小时之后，该部门又将报告放在技术部一名办事员的桌上。这名技术员不确定自己能否修复，但他并不担心，因为飞机此刻正翱翔在杜百克市（艾奥瓦州东部的一个城市，位于洛杉矶至纽约的航线中途）上方约31000英尺的高空中。于是，他在一本皱巴巴的记录单上潦草地记上一笔：在可能的情况下进行修复。可以肯定的是，他一定会修好那个突起，不过是在刮破另外10名乘客的裤子之后。

　　无论在决策之前做了多少功课，下了多少功夫，只要是决策都会有风险，还没有谁敢说自己的决策是万无一失绝对成功的，如果真的是那样，也就算不上是个决策了。决策者都要面对失败的挑战，决策，不过是目标、成本和风险的博弈罢了。

企业想从竞争中胜出，必须在决策的成本和风险当中做出选择，快速决策可以占得先机：

第一步，发现问题，找到目标。

现实的情况总是很复杂，问题并非只有一个起因，矛盾也不是只有一个方面。利益冲突、周围环境、各方态度交织在一起，形成了复杂的矛盾大网，必须学会从错综复杂的表象当中透视本质，从犬牙交错的纠葛当中寻找矛盾。抛开无关的旁枝末节，把注意力集中到根本的冲突上，尽量平衡主要关系人的利益。

第二步，寻找可行性方案。

要保证方案的可行性，寻找那些有目的性、有针对性地解决主要矛盾的方案，至于无关痛痒的小小争执，大可以不必理会，过多有"量"无"质"的备选方案，到头来不过是白白增加了决策的难度和耗费的时间而已。

第三步，权衡利弊，做出选择。

对各种解决方案进行取舍。无论是利用直觉、经验还是依靠模型分析，甚至只是赌赌运气，不管用什么方法，一定要做出选择。

做事优柔寡断注定一事无成，应该立即上路，只有启动了，才能不断地收获。

【孙正义说】

要能在10秒钟内打动我。

机会总是稍纵即逝，没有太多的时间留给你去仔细思考。

减法思维：从目标倒推执行

如果想做成一件事，不是从起点一步步往前推断，而应该从事情成功的终点，一步步地倒推回来。

——孙正义

人的思维模式有两种，一种是"加法思维"，另一种是"减法思维"。

加法思维的思维模式是从手头现有的资源出发，按照自己的能力和所拥有的资源，正向推进，稳扎稳打，步步为营。眼睛只盯住自己的篮子，篮子里的才是菜，篮子外面的都是别人的。君子爱财，取之有道。这种思维强调对现有资源的充分利用，强调自我的积累和滚动发展。

用形象的话来形容这种思维，那就是有多大的胃吃多大的量，有多大的力挑多大的担。用抽象的话来形容这种思维，那就是物质决定思维。

减法思维则不问自己现在有什么，只问自己要实现什么目标，想做成什么事。做任何事情的时候，都从目标出发，根据目标的要求，规划实现目标的路径，明了实现目标的条件，并在实际工作中努力发现、借助和创造实现目标的条件，按照路径一步步推进，最终实现目标。

这是一种反向思维方式，是一种倒推法：倒推资源配置，倒推时间分配，链接战略战术，链接方法手段。

无所谓好坏优劣，只有适合不适合。不难看出，加法思维明显是比较温和的思维方式，总是不做自己能力、资源外的事情。相反，减法思维则目的性强得多，一切只为能达到最后的目标。

在商界来说，减法思维明显更实用，也更适用。孙正义非常推崇减法思维，最能体现他的减法思维的事情就是收购沃达丰日本。

沃达丰公司是一家跨国性的移动电话运营商，成立于1984年，1987年就已经成为世界公认的最大移动通讯公司。2001年年初，这家出生在英国的通信巨头带着勃勃雄心进军日本，想在增长快速的日本通信市场上分一杯羹，结果不幸触礁。公司的利润不断下滑，2006年更是陷入巨额赤字。

沃达丰日本是沃达丰集团在日本的子公司，它对日本人的兴趣和喜好并不了解，因此产品和口碑都不好。作为当时日本第三大通信运营商，它的网络质量实在太差。更糟糕的是，日本马上就要启动携号转网制度，外界都认为沃达丰用户必定会流向日本其他两大运营商NTT和KDDI。这两家也正张大了嘴等着沃达丰的用户"搬家"。

孙正义就是在这样的情况下从强劲对手——Cerberus基金公司手中"抢"到了沃达丰日本，而且花费不小：118.7亿美元。但是外界并不看好这笔收购，软银的股价在孙正义收购沃达丰日本后暴跌60%。

为什么要不顾一切地买下这个"麻烦"，孙正义这样思考：

最终目标是进入移动通信领域，为了达到这个目标，他必须收购一家运营商，比如沃达丰日本，这比自己创立一家公司从零开始要好得多。要收购沃达丰日本他必须有足够的资金，如何筹得足够的资金？同时，为了最终能够良好地管理运营沃达丰日本，他必须有相关的人才和经验才行，怎么办？——先推出宽带业务，接着收购固定电话运营商。

这就是孙正义的减法思考。在他看来，要做成一件事不能用加法，必须用减法，也就是说不要去想首先做什么，其次做什么，相反要倒着来：为了达到最终目标，前一阶段应该做什么，而做到这一阶段之前又要做到哪些事。

最后是优衣库的老板柳井正给孙正义下了定心丸："不收购沃达丰日本的风险要大于收购它的风险。"所以沃达丰日本是一个必须买下的"烫手山芋"，想要在移动互联网领域里开疆辟土，他需要这件武器。

当然，这种以最终目标为管理驱动力的减法思维不是盲目扫射目标，它有一定章法可循。这里介绍一个关于目标管理的方法，缩写为"S.M.A.R.T"，其中S是指Specific，M是指Measurable，A是指Attainable，R是指Relevant，T是指Time-bound，意思分别是：

S：具体的，要与细分目标分门别类挂钩，不能泛泛而论；

M：可度量的，有一个准确的度量标准；

A：可实现的，通过付出努力能够实现；

R：相关的，我们设定的目标与大愿景要有一定的关联性；

T：有时限的，完成目标有个特定的期限。

一个能够满足以上几个要求的目标就是我们需要的目标。对管理者来说，还需要记住一句话："最好的方法或者目标一定是简单的。"

【孙正义说】

要做成一件事不能用加法，必须用减法。

最好的方法或者目标一定是简单的。

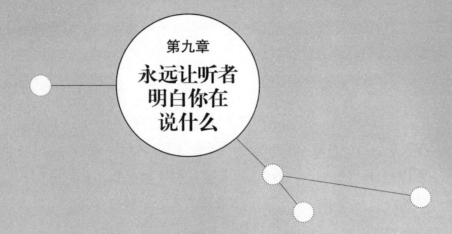

第九章

**永远让听者
明白你在
说什么**

对于他人所说的话，说得好对自己有帮助，说得不好
至少也能增进自己的忍耐力。自己说话的时候，更
要注意分寸，因为第一个听见不好的话的人永远是自己。

听得懂才有意义

让我们打个比方。

——孙正义

说话最重要、最基本的要求就是词能达意。这一点要求看上去很简单，可是最简单的事情最见功夫，每个人都一定遇到过对方不能理解自己的话，或者因为语言表达的不准确而不认同我们观点的情况。所以说，一个真正会说话的人，能够将深奥的东西说得浅显易懂，而且最后让听者接受自己的观点。

从这个角度来看，孙正义无疑可以称得上是"日本最懂说话的人"，因为他在经营软银的过程中，多次通过演讲完成了不可思议的任务。

孙正义有很多为人所津津乐道的演讲，其中最著名的当属关于"瑕疵担保条款"的演讲。

2000年，软银在收购日本债券信用银行（即青空银行）时遇到了前所未有的公关危机：日本民众普遍认为自己将会为日本债券信用银行的债务埋单。孙正义也因此在人们心中成为"剥削百姓的资本家"，一时间成了"过街老鼠"，上至国会议员，下至贩夫走卒，都对孙正义和软银进行口诛笔伐。而这一切的起源是民众对于收购条约中的一款"瑕疵担保条款"的不理解。

怎么办？收购协议确定的日子一天天临近，是迫于压力放弃收购，还是"冒天下之大不韪"，顶着压力硬上？看上去似乎只有撤退和硬上两种选择，因为在短时间内根本没有可能向愤怒的群众说清楚这个非常专业的条款到底是怎么一回事，几乎不可能获得民众的谅解。

不过，世界从来不缺少"疯子"，孙正义更是"疯子"中的"疯子"，他选择最不可能的一条路：推迟收购日期，向民众解释"瑕疵担保条款"。

孙正义开始频繁地出现在电视、报纸等公共媒体上，苦口婆心地向日本民众解释"瑕疵担保条款"的含义以及其存在的理由。首先，孙正义直截了当地说出自己的观点：民众压根不懂"瑕疵担保条款"。为了让愤怒的人们恢复理智，孙正义在演讲中使用了大量精心制作的PPT。PPT分成几大类，一类是各种历史数据的集合，通过实实在在的数据让崇尚理性的日本民众说不出话来；另一类则是简单形象的比喻，这样做可以让孙正义的演讲更具有情景感，引起人们的共情心理。

孙正义将"瑕疵担保条款"的适用比喻成"烂苹果退货协议"："当一家水果店倒闭的时候，积压了大量的苹果，前去收购的人为了尽快完成收购决定不打开箱子一个个检查苹果，不过他知道肯定有烂苹果。收购的人希望烂苹果超过总苹果两成的时候，可以选择退货。"孙正义这样向民众解释"瑕疵担保条款"。是啊，既然收购方已经愿意自行承担两成以下的损失，为什么"水果店"不愿意分担一部分风险呢？

通过孙正义的形象比喻，民众逐渐开始觉得"瑕疵担保条款"的确是十分合理的条款，一场抗争消于无形。2004年9月1日，收购日期比预期晚了整整一个月，不过此时的软银已经获得民众的理解，收购过程如水到渠成般自然。经此一役，孙正义获得了"从不屈服"的名声，为自己和软银赢得了无形的声誉资产。

分析孙正义的演讲，形象的"烂苹果退货"比喻无疑起到了极为重要的作用，因为这个比喻让民众拥有了更形象化的理解，整个解说也更容易赢得他们的信任。

那么，我们在演讲中是否还有其他办法赢得听众？

1. 用事实和数据说话

事实和数据是客观事物的具体表现，比任何的描述和个人感受都更有说服力，同时也能增强自己的信心。演讲中要站在对方的角度，事先考虑好对方会提出什么样的问题。

2. 以理服人，不能强加于人

"晓之以理，动之以情"，说服的关键在于帮助听众产生自发的意志，激发其行动的力量。

3. 知己知彼，设身处地

不仅要考虑清楚自己的想法与行动，也要通过各种方式了解听众的情况，以便慎重思考应对策略。通过投其所好和强调双方的利益，以达到说服他人的目的。

4. 步步为营，分阶段实施

将需要说服听众的问题分解为几个不同的部分，根据不同的时间和对象，化整为零，分为不同的阶段实施说服。

5. 说话要直截了当而且中肯

如果你想在你所说的各种事情上都取得驾驭人的卓越能力，一个最基本的要求：集中一点，不要分散火力。

6. 不要夸口

不但永远不要夸口或者言过其实，而且在陈述你的情况时还要动脑筋给自己留有余地，这样你就不必担心会遇到什么责难。

7. 对待听众不可盛气凌人

即使你是你要演讲的这个专题的权威人士，你也没有任何理由盛气凌人地对待听众。

8.要有外交手腕及策略

老练是指在适当的时间和地点说适当的话又不得罪任何人的一种能力。做起来其实也很容易，就是你对待每一个女人要都像对待一位淑女一样，对待每一个男人都要像对待一位绅士一样。要为你的听众提出最好的建议，不要为你自己提出最好的建议。

【孙正义说】

烂苹果超过总苹果两成的时候，希望可以选择退货。

既然收购方已经愿意自行承担两成以下的损失，为什么"水果店"不愿意分担一部分风险呢？

压缩到极致，轻量化表达

请把你要说的话压缩好再来，少说"这件事的背景""这是谁谁谁的意见""本公司的状况"之类细枝末节的话，最好开口第一句就说出问题的本质。

——孙正义

如今，孙正义留给日本公众的众多印象中就有"演讲大师"这一印象，而他的演讲一向是场场爆满。事实上，孙正义还通过网络直播，向成千上万的观众演讲，鼓励年轻人。孙正义就像掌控观众情绪的大师，总能让台下的人听得入神，不知不觉地认同他的观点。孙正义还经常出现在一对一的商业辩论中，不出意外，对手总是会被他说服。

除了"三寸不烂之舌"，PPT对于孙正义的演讲同样至关重要。分析孙正义所用的PPT图片，我们不难发现一个规律：PPT图片永远都很简洁，图片中不会超过20个字。这就是孙正义说话的另一个关键点：不要说废话，从重点甚至结论说起。

抓住重点说话不仅体现在公开演讲中，孙正义要求自己和软银的员工在日常工作中就要做到30秒内说清楚工作汇报，而这"30秒电梯理论"灵感则来自华尔街的投资同行。

"30秒电梯理论"来源于顶级投资顾问公司麦肯锡，即创业者在乘电梯的30秒到两分钟之内，对自己提供的产品、服务或价值主张做出简短的介绍，从而获得风险投资家和天使投资者的投资。"30秒电梯理论"是在麦肯锡公司的一次重大损失后由总裁麦肯锡提出的。

一位重要的客户在电梯偶遇麦肯锡咨询人，随口询问了当前的项目状况。面对突如其来的提问，咨询人显得不知所措，加上并没有充足的准备，在电梯运行的30秒内根本无法清楚地说明情况，最终导致麦肯锡失去了一位重要客户。这件事后，麦肯锡提出了"30秒电梯理论"。

更进一步，孙正义提出在谈话中尽量压缩自己要传递的信息，一次只列出3个要点，"成年人的平均注意力只有18秒，人们根本没有更多精力记住5点、6点，3点就足够了"。无独有偶，心理学的相关研究同样证明孙正义的"3点论"有着独特的优势。

在戏剧启蒙伊始，剧作家们就知道三幕剧比四幕剧戏剧性更强，而在演讲中，孙正义发现3点比5点更有说服力。

这是因为绝大多数伟大的电影作品、书籍、戏剧或演讲都有着三段式的结构。例如，大仲马有《三剑客》（又名《三个火枪手），而不是"五剑客""六剑客"；金发歌蒂遇到的是3只熊，而不是4只；谚语"三个臭皮匠，顶个诸葛亮"，而不是两个臭皮匠；富有传奇色彩的美国国家足球联盟的主教练文斯·隆巴尔迪告诉他的队员，生活中有3件事最重要：家庭、宗教和由他率领的绿湾包装工队；美国《独立宣言》指出，每个人不论是白人还是黑人，都享有不可剥夺的生命权、自由权和追求幸福的权利，而不是简单的"生命权和自由权"。

看起来这个神奇的数字"3"既是书写各种作品的基本原则，也是孙正义演讲的隐形法则。

关于为什么是"3"这个数字，美国海军陆战队曾对这个课题开展过广泛的研究，并得出如下结论：3比2或4都更有效率。因此，美国海军陆战队都以3为划分标准：海军陆战队由地面部队、航空兵和后勤部队3个部分组成；地面部队有3个陆战师；陆战师是世界上编制人数最多的地面作战师之一，也是美军唯一使用三团制的作战师。

很多心理学家研究表明，在人们的认知中，我们很难在短时间内记住超过7个数字，人们最有可能接受的范围是3~4个。所以，孙正义在演讲中都会抛出3~4个问题给听众分享，3的使用率也远远大于4。

【孙正义说】

从结论说起，结论！

最好开口第一句就说出问题的本质。

小道具聚焦，捕获注意力

现场的核辐射量是0.1微希沃特。

——孙正义

著名学者季羡林在随笔中曾提起一段趣事：那个时候正是知识分子下乡的时代，有一天，他们正在麦田里背麦捆，突然一只野兔从麦堆间蹿了出来，大家先是一愣，随即便放下手中的活，纷纷追赶兔子。一群人前挤后拥地追一只兔子，场面"蔚为壮观"。最后，这只兔子终于"落网"。那天，所有参与"追捕"的人的心情都格外明朗。这不过是一件再平常不过的事情，却给枯燥乏味的生活平添了很多色彩。

说话过程中，会说话的人时常抛出一些"包袱"，"包袱"的作用就像野兔一样，也许它与要说的内容没有实质性的关联，但是能很好地调节说话氛围，拉近演讲者与听众之间的距离。

孙正义的演讲之所以如此吸引人，善用技巧是重要的原因，其中抖"包袱"是常用技巧之一。不论是几分钟的简短演讲，还是长达数小时的网络直播演讲，孙正义总是可以让听者跟随他的思路时笑时悲。有时候孙正义为了让听者欢笑，他甚至会调侃自己是个脱发的秃头，或是丢进人堆里找不着的矮个子；而当他回忆起小时候的艰辛生活，或是创立软银的点点滴滴，大家同样会被他的悲情感染。这是属于孙正义的"包袱式道具"。

还有一种是"抛砖式道具"，常见两种方式：

1. 欲正故谬。当要启发听众思考某一个问题时，与其告诉他们答案或者给予提示，不如故意说一个错误的答案来刺激他们思考问题。当演讲者说错时，就能够激发他们思考的欲望。

2. 欲实先虚。这是为了让对方顺着自己的意愿来展开话题。平铺直叙地将道理讲述出来，有时无法打动听众的心，不能引起听众的兴趣。这个时候，由演讲者先虚设一问，这一问乍看与演讲内容毫无关系，或者让对方摸不清虚实，当对方给出答案后，这种答案其实正是演讲者想要的，这时演讲者就可以抓住对方的话柄，以此为契机，得出想要的结论。这时，听众就无法否认自己刚才说过的话了。

除此之外，孙正义还善于利用一些出其不意的真实道具，如"焦点式道具"，以此吸引听者的注意力，让自己成为全场目光的聚焦点。

2011年4月20日，孙正义在东京宣布成立自然能源基金会。会议刚开始，在众人一片嘈杂的时候，孙正义从身上掏出测量核辐射量的盖革计数器说："我每天都随身带着这个东西，还好，这个房间的核辐射量很低。"通过这个方式，孙正义一下子成为全场的焦点，接下来顺利进行了演讲。

在更早的时候，孙正义就已经使用过这种道具。2008年8月5日进行的当年第一季度决算发表会上，孙正义使用了iPhone作为演讲的小道具。孙正义在演讲台上进行了"iPhone秀"，他先是通过iPhone 3G查询了棒球比赛的结果，看了漫画，然后又进行了乐器演奏应用的使用，最后演算了算盘应用。在前后大约10分钟的时间里，孙正义一边在手中熟练地使用iPhone，一边配上幽默、轻松的解说词，而iPhone 3G的便捷也给听众留下了深刻的印象。

除此之外，在演讲的过程中插入视频剪辑，也是孙正义常用的小道具。这样做能给演讲带来意想不到的效果，甚至产生轰动。播放与演讲相关的内容，如广告短片、产品介绍、员工感言、使用者使用该产品时的场面及使用后的良好感受等，都可算作此类道具的运用。

当然，在演讲中如果想通过嵌入的视频剪辑来提升演讲的效果，就要控制好时间，如果时间太长，人的精力会因为疲惫容易分散，如果注意力不集中，那么不管视频内容多么感人，对观众都会丧失吸引力，一般的宣传视频的时间要求控制在2～3分钟，电视广告则更短，通常只有几秒钟。

孙正义手中最重要、最神秘的演讲武器就是PPT了。微信的产品经理张小龙在讲述自己的产品时说，一张图片要比一段文字更有感染力，这是图片的力量。因为每张图片都是一个故事，人人都喜欢听故事，讲故事往往是最有效的信息传播手段。

那么，我们在演讲的时候如何更好地利用PPT来吸引听众的眼球呢？

首先，制作幻灯片的时候做到"简化一切"。

孙正义的幻灯片具有极简主义风格。他的幻灯片从来不包括与产品没有关联的信息。在幻灯片上，尽量采用以短句代替长句的表达方式，短句间断在听众脑海中留下的时间长一些，让听众更容易回想起演讲的内容。

其次，幻灯片要少一些文字，多一些照片。

孙正义在软银公司全球开发者大会上的幻灯片一共11张，其中只有一张带有文字，其他的都是照片。研究表明，图片在大多时候对人们眼球的冲击比文字大得多。通过照片的形式将信息传递给听众，可以给听众留下更为深刻的印象。

偶尔可以用空的画面聚拢听众眼球。

在演讲会上，演讲者打开PPT时所发生的情形：一份空白的幻灯片，一大堆留白的空间，和孤零零的几个标题和副标题。

很多人都以为这样的幻灯片很不足，但是我们发现孙正义的演讲PPT中也是没有几句话或多少文字，这样制作幻灯片的原因是什么呢？

很多情况下，空白会给人一种高雅、清新的感觉。孙正义这种"留白的艺术"不仅能让听众欣赏到简约的美，还能让人感受到他对空间的巧妙利用。在制作幻灯片的时候，视觉元素是我们应该考虑的一个重要因素。为了让某种设计的视觉效果更开阔，营造空间感是十分有必要的。让空的画面来吸引听众的眼球既是一种表达方式，也是一种艺术。

不过，道具再有用，也不能替代演讲者的主导地位，"道具是从，人是主体"，这是孙正义对于小道具的使用理念。

【孙正义说】

道具是从，人是主体。

我随时随地都带着盖革计数器。

带队人直面问题是员工和用户的刚需

我来回答你的问题。

——孙正义

作为一家上市公司的创始人和CEO，孙正义的言行应该需要注意很多地方。很多同样身份的日本企业家就是这样做的，因为他们担心"祸从口出"，推特、脸书之类的社交媒体上是没有他们的身影的，即使有也是发一些秘书起草好的公关文。但是作为全日本粉丝量排名第二的"社交达人"，孙正义很明显更喜欢和用户打成一片。

这样做的好处是很明显的，那就是软银能获得极高的社会声誉，孙正义也显得比较有亲和力，缺点就是孙正义的社交工具界面上经常会遇到一些"不明真相"的无礼发问者。

譬如说，有的人曾在推特上留言，询问孙正义为什么雅虎BB的收费那么高，而且网络速度很慢，骂孙正义是"头发稀疏的秃头骗子"。面对这样的辱骂，孙正义的做法不是拉黑、屏蔽，而是大大方方地和大家开诚布公地谈一谈，"头发少是事实，但我不是骗子"，孙正义会向用户详细地解释这种现象背后的点滴原因，从不以"商业机密"为由敷衍了事。

2007年，互联网上一个名叫"星巴克八卦"的博客刊载了一篇名为《星巴克体验的商业危机》的文章。它实际上是星巴克董事长霍华德·舒尔茨给高层管理团队的内部信。舒尔茨写下这封信的原因是2006年星巴克的增长放缓、客户流失。作为董事长，舒尔茨不得不对这样的情况做出反应。于是2007年，他亲自考查了星巴克分布于世界各地的主要门店，结果发现星巴克的门店发展偏离了核心业务。于是，舒尔茨写下这封内部信发给高管们作为警示，并指导他们的年度规划方向。

当然，这封信流传到网上并不是舒尔茨想看到的，但是他当时对信件外泄的关注并不那么强烈，因为有更令他惊讶的事。这封信流传到网上后，被各大主流媒体转载并且被许多人引用、评论。舒尔茨发现，大家对信件大都断章取义，评论相当消极，甚至有人直截了当地说星巴克就要"完蛋"了。

然而，面对这些不利的言论舒尔茨毫无办法，因为"星巴克在互联网上缺少互动平台，无法直接和客户、投资人、合作伙伴对话，无法迅速地为自己说话，表明立场……我们无法掌控我们的命运……"。

所以，绝不能在互联网时代失去面对客户的话语权。

2011年6月24日，软银集团举行季度股东大会。这次大会的讨论主题是：进军新能源行业，软银将改变事业方向。孙正义亲自主持了会议，并发表了演讲。在会后的提问环节，孙正义回答了股东的17个问题。问题范围十分广泛，并不局限于大会的主题，手机信号新频率配额申请，软银的财务税务问题，都被提了出来。

这一点在日本的股东大会中是少有的。在日本，更常见的股东大会是草草了事，然后CEO让手下各个部门的负责人简单回答几个问题，自己是绝不可能亲自回答问题的。孙正义是个奇葩，他从不会说"这个问题由财务部的负责人来回答"之类的话，全都是亲自上阵回答。

当人们问到为什么孙正义愿意花费宝贵的时间，回答并不专业的公众留言和股东提问时，孙正义的回答令人动容："其实他们也并不是一定要求得一个答案，只是想让你注意一下他的意见，哪怕你说我们没办法办到，他也会理解的。"这就是沟通的重要性，心理学上的霍桑效应说的也是这个问题。

制造电话交换机的霍桑工厂位于美国芝加哥郊外，这家工厂的医疗养老制度齐全，工作环境整洁舒适，还有很多娱乐设施。然而，员工们仍不能愉快地工作，经常抱怨，工厂的生产效率也不理想。

工厂联合美国国家研究委员会组织了一个包括心理学家等各方面专家在内的研究小组来探求原因。研究小组的专家们用了两年多的时间找工人个别谈话，耐心听取各种意见，不予反驳和训斥，结果全厂产量大幅度提高。

以前员工们愤愤不平的原因是：他们长期以来对工厂的各项管理制度和方法有诸多不满，但无处反映和发泄，工厂当然也没有改进，造成员工们的情绪消极，影响了工作效率。长达两年的沟通使员工们的不满都发泄了出来，并且让工厂了解了员工们的想法，并对此进行了相应的改进，于是员工们感到心情舒畅，工作动力倍增。

霍桑工厂的"谈话试验"之所以会提高工作效率，主要原因就是它正好切合了人们内心某些潜在的心理特点：

1.渴望被重视是一种普遍存在的心理需求

在霍桑工厂，工人感到自己在做试验的这一刻是特殊人物，引起了厂方的极大重视，因而感到愉快。工人们产生愉快心理后，周遭的一切都变成了他们喜欢的东西，生产条件也变成次要的了。他们会尽自己最大的努力像老板希望的那样去做，尽管他们想的与老板想的并不相同，但他们知道提高劳动效率是人们共同关注的目标。

2.人不能被动工作，必须激发他们的积极性

通过试验我们可以看出，影响生产效率的重要因素不仅仅是金钱，还包括工作中人们自动自发的责任感。要培养工人高度的责任感，必须向工人提出高标准的劳动要求。实践表明，低标准只会抑制工人的劳动积极性。而高标准也并不是标准越高越好，而是合情合理，经过一定的努力可以达到的。这样，工人为回报厂方对自己能力的信任，就会尽力完成制定的目标。

关注并回答任何人的任何问题，体现的是对每个人的尊重与重视，还有别的方法同样能够让他人感到自己被"大人物"重视：

1. 走动式管理。走动式管理是许多优秀企业比较常用也是比较容易奏效的一种沟通方式。走动式管理是指管理者在员工工作期间经常到员工的座位附近走动，与员工进行交流，或者解决员工提出的问题。管理者对员工及时的问候和关心本身并不能解决工作中的难题，但足以使员工感到鼓舞和激励。有的员工说："我就特别喜欢主管走到我的座位上，拍一下我的肩膀，对我问上一句'怎么样'。"员工往往不喜欢管理者整天坐在自己的办公室里，不与自己说一句话。

管理者在走动式管理中如果注意一些技巧和保持一定的敏感性的话，四处走动并进行非正式交谈的确是很好的沟通方式。但更重要的是创造一个合适的氛围，当问题出现时，要让员工感到舒适轻松。因此不要对员工具体的工作和行为过多干涉，不要对他们指手画脚、品头论足，否则就会给员工一种突然袭击检查工作的感觉，员工容易产生心理压力和逆反情绪。

2. 开放式办公。主要指的是管理者的办公室随时向员工开放，只要没有客人在办公室里或正在开会，员工随时可以进入办公室与管理者讨论问题。我们可以看到，许多公司中管理者的办公室是不设门的，只是用比较高的隔板隔开，这样做的目的是便于员工随时与其进行沟通。开放式办公的优点就是将员工置于比较主动的位置上。员工可以选择自己愿意的时间与管理者沟通，可以主导沟通的内容。

3. 工作间歇时的沟通。管理者还可以利用各种各样的工作间歇与员工进行沟通，例如与员工共进午餐，在喝咖啡的时候聊聊天，等等。在工作间歇时与员工沟通要注意不要过多谈论比较严肃的工作问题，可以谈论一些比较轻松的话题，例如昨天晚上的足球赛、烹饪的技术、聊家常等，在轻松的话题中自然而然地联系到工作中的问题，而且要尽量让员工主动提出这些问题。

4. 非正式的会议。主要包括联欢会、生日晚会等各种形式的非正式团队活动。非正式会议也是比较好的一种沟通方式，管理者可以在比较轻松的气氛中了解员工的工作情况和遇到的需要帮助的问题。而且，这种聚会往往以团队的形式举行，管理者也可以借此发现团队中的一些问题。

沟通无极限。孙正义在与员工、用户沟通的时候，随时随地、不拘形式是他的风格，目的只有一个：关注。

【孙正义说】

最重要的就是坦率。

我来回答这个问题。

像做艺术品一样准备一场精益演讲

越是大型的演讲，越是会出现问题。

——孙正义

早在美国加州大学伯克利分校求学时，孙正义就曾靠着自己的"忽悠"能力说服世界知名教授加入自己的研发项目，而且约定在发明卖钱后再付报酬，如此苛刻的付款条件，如果没有相当出色的演说，教授是不可能接受的。

等到软银成立时，毫无背景、资源的孙正义只能凭着双手和一张嘴，为软银的未来打拼。在资源极度匮乏的条件下，孙正义硬是从日本企业巨头NTT、KDDI手中抢下与美国苹果、微软等企业合作的机会，出色的演讲是关键中的关键。

不过，演讲可不是随口说出的话，而是经过精心策划，但是又看不出加工痕迹的"人工艺术品"。既然是"精心策划"的，演讲的准备工作就显得尤为重要，否则无疑会给听众留下很坏的印象：功课没有做足就来乱说。

如何做足准备？

最重要的就是先做好心理和情绪上的准备。很多人认为演讲只是靠一张嘴，但每一次演讲实际上就是在与听众的思想意识进行博弈，演讲者需要在一定的时间内通过情感、语言、智慧来影响和改变听众。

就以产品发布会为例，要达到良好的效果就必须明确几个问题：对于消费者而言，他们最想从商家或产品开发师那里获得什么？什么样的产品是他们梦寐以求的？他们被什么样的技术问题困扰？

演讲者需要通过听众和市场信息来推测这些问题的答案，这样才能明确自己应该在演讲中传递给听众怎样的信息，将其中哪些作为重点。如果我们希望站在演讲台上向客户、商业合作伙伴介绍产品时，也能够像孙正义一样成功，那么一定不能忘记去了解、熟知听众需要什么。

听众希望听到重要信息，了解到新的知识，同时希望演讲的气氛愉悦并且尽可能幽默轻松。他们希望了解演讲者的产品，了解它是如何制作的，并且希望这个学习的过程是充满乐趣的。但这些就够了吗？显然不是，其实最重要的是，人们想知道下面这些问题的答案：

为什么我应该关心这些？我能从中获得什么呢？

唯有当演讲者毫不迟疑地回答出这些问题时，演讲或者产品推介会才有可能成功。

接下来就是做足演讲的外部准备，包括对演讲稿的熟练、演讲场地的熟悉，以及演讲工具的熟练使用，包括投影仪、电脑、遥控器等。

仅以对演讲稿的练习为例，我们就可以看出孙正义在做准备时花费的功夫。

2010年6月25日，孙正义在东京举行了软银"新30年愿景"发布会。面对近万名软银员工和股东，孙正义进行了一场长达2小时6分钟的演讲，一共使用了135张幻灯片。为了应对这场非常重要的演讲，孙正义不仅对每一张幻灯片进行研究，了解每一张幻灯片背后的信息以及它们之间的联系，而且连每张幻灯片花费多长时间进行演说都经过多次尝试，最后确定一张幻灯片解说大约1分钟，这才有了最终的精彩演讲。

另外，面对重要场合的演讲时，演讲者难以避免地感到紧张，如何克服演讲时的紧张情绪，也是包括孙正义在内的演讲者需要关注的问题。想克服演讲中的紧张感，演讲时要尽量做到：

1. 如果讲到一半忘了演讲词，不要紧张，跳到下面的题目，很可能根本没有人注意到你的失误。

2. 停顿不是问题，不要总是想发声以填满每一秒钟。最优秀的演讲者会利用适当的停顿来把他的重点更清晰地表达出来。

3. 如果看观众的眼睛让你紧张，那就看观众的头顶（观众不会发现的）。

4. 眼睛直视观众，可以随机地更换注视的对象。不要左右乱看，不要往上看，因为这会让你看起来不值得信任。

5. 如果看观众会让你感觉紧张，那么眼睛可以多看那些比较友善的或带着笑容的脸。

6. 如果可以做到，最好用接近谈话的方式演讲。用简单的语句，表达清晰的思路，不要太咬文嚼字。

7. 最好适当地使用肢体语言，做些手势，不要太死板。

8. 如果你会发抖，不要拿纸在手上，因为纸会扩大你发抖的程度。手可以握紧拳头，或扶着讲台。

9. 演讲时千万不要提到自己的紧张，或对自己的表现道歉，那只会让你更缺乏自信。

10. 如果能在开场白时吸引到观众的兴趣，整场演讲便会容易和顺畅不少。

卡耐基对于消除紧张心理是最有经验的，而在他的众多经验中最基本的经验就是："你要假设听众都欠你的钱，正要求你多宽限几天；你是神气的债主，根本不用怕他们。"

演讲者不妨给自己一些积极的暗示，伸直膝盖，挺直腰背，信心十足地开始演讲，当面对听众时感到恐惧、忐忑，产生精神上的紧张，这是演讲中的正常现象，只要适度调节，所有的不适都会一扫而光。

"不打无准备之仗"是孙正义的原则，不管是经营、投资还是演讲、说话，如果没有做好准备，孙正义绝不轻举妄动。

【孙正义说】

如果条件允许的话，我都会在演讲前去现场看一看。

脱稿演讲不是没有准备的演讲。

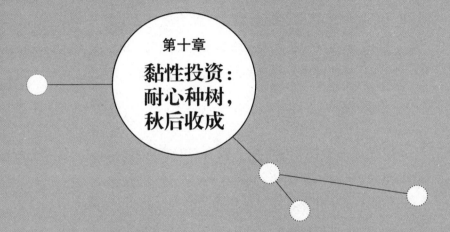

第十章

**黏性投资：
耐心种树，
秋后收成**

运气当然是很重要的。但是如果你不对一个行业做深入、认真的研究，不做出持续的努力，运气是不会站在你这一边的。你必须明白的是，互联网行业现在还处于起步阶段，而汽车工业、电子工业、通讯行业则至少有100年甚至120年的发展历史。这些重要行业在出现后的5年内都没有什么重大的改变，但这并不是故事的结局，它只是故事的开始。所以互联网行业也只是刚开始它的开始。我坚信，互联网行业是有非常巨大的潜力的，我相信它一定会最终壮大起来。

带上藏宝图，直达目的地

互联网时代到来，我想的第一件事就是找到能够给我指引的地图。当时我投资50亿美元来控股美国最大的电子出版公司Ziff-Davis和Comdex以及其他相关公司，我认为我花的是买藏宝图的钱。

——孙正义

在孙正义的投资生涯中，投资Ziff-Davis和Comdex具有里程碑式的意义。

20世纪90年代是孙正义软银帝国的奠基时代。1994年软银上市，这让孙正义的身价达到10亿美元，那一年他37岁，软银成立不过14年。

1995年，借着上市融资，孙正义终于有资金开始实施自己的互联网帝国计划。而第一步，孙正义没有选择投资互联网公司，而是花费50亿美元收购了Ziff-Davis出版公司的部分股权，同时收购Comdex展会部分股权。一家是全球出版业巨头，一家是提供信息产业展览场地的企业，看上去与孙正义要涉足的互联网经济毫不相关。

当有人问起孙正义看中了这两家公司的什么地方时，孙正义表示："虽然Ziff-Davis和Comdex是传统行业的企业，但是它们对于互联网领域有着最详细的研究，因为它们的客户全都是互联网企业。所以说，最了解美国互联网行业状况的一定是这两家企业，它们清楚最新的技术、发明在哪里。这也是我买下它们的原因。"

孙正义当时问Ziff-Davis公司总裁，表示自己想对互联网做一大笔投资，应该先会见哪个公司？Ziff-Davis公司总裁告诉孙正义的答案是雅虎。有人劝说孙正义："雅虎是个小公司，是一帮年轻的学生创建的，还有亏损，几乎没有什么收入，就像个校园项目。"孙正义表示没关系，他认为学生反而能够拿出非常伟大的想法，愿意见见雅虎的创始团队。

在面见雅虎创始人杨致远以后，孙正义说："好，我现在投1亿美元，占有公司30%的股份，如果我能帮助你们在全世界取得成功，不管花多少钱（我都会投入）。你们肯定会一下子增长三五倍的。"就这样，孙正义投资了第一家互联网公司。

后来，孙正义通过Ziff-Davis和Comdex，在美国成功投资了众多互联网企业，包括E*Trade、InsWeb、BUY.com等。而对于Ziff-Davis和Comdex的帮助，孙正义也从不避讳，自从大学毕业后，孙正义的事业重心就放在了日本，他对于美国市场虽然有兴趣，但也是鞭长莫及，了解得并不多。Ziff-Davis和Comdex对于美国互联网市场的洞悉，弥补了孙正义的缺憾。

互联网时代就像一个埋藏着无数宝藏的岛屿一样。"当你去宝藏岛的时候，你准备带什么工具呢？是食物，枪，还是药品？我想要的却是宝藏岛的地图，这样可以直达宝藏所在地。"这就是孙正义的头脑和格局。

进一步深挖，孙正义"出发前带上藏宝图"的投资原则，其实是投资前对全局了解清楚。投资者应把自己的投资范围限制在少数几个了解的行业，就像孙正义的绝大多数投资都集中在互联网行业。盲目投资不了解的行业是不明智的，一个理性而见多识广的投资者应当可以比较精确地判断这样做的风险。

有些投资垃圾债券的投资者看好垃圾债券发行公司的前景，认为这些公司的经理有着给投资者以良好回报的想法。可事实上，这些垃圾债券的经营者通常有另外的意图。他们就像吸毒者，不是把精力放在寻找治愈其满身债务的良方上，而是把精力放在寻找另一次毒品注射上。债券的追捧者们当时都相信大崩溃不会发生，他们甚至天真地认为，因为巨大的债务将使管理人员前所未有地关注绩效管理，正好像人们期望一把镶嵌在轿车方向盘上的匕首可以使司机非常警觉，但如果轿车遭遇不好的路况，哪怕是最小的坑洞，也会产生致命的事故。而事实上公司运营的道路上到处都是坑洞，所以那种要求司机躲避所有坑洞的计划注定会遭遇彻底的失败。

作为投资人，完全不必受项目短期波动的影响，可以选择容易理解的行业和公司，从行业景气度趋势、企业成长趋势和股价运行趋势三者中去寻找共振点，长期投资。

为了减少精力消耗，投资者可以只考虑比较熟悉或者容易理解的行业，前者例如电力设备，后者例如采矿业、房地产；难理解的行业即使前景好也不参与，例如医药、化工材料。

比较容易理解的行业及公司有着相同的特征：基本面优良、盈利情况良好及稳定的分红，除此之外高速、机场、汽车等低市盈率行业里也都有"黄金"可挖，投资人在未来的操作中可多加关注，相反对于一些高深莫测的概念，利润就留给别人吧。

【孙正义说】

学生反而能够拿出非常伟大的想法。

我进入宝藏岛要带的东西就是藏宝图。

从创业者眼中寻找活跃的激情和纯粹的力量

那时候，马云一无所有，但是他在介绍阿里巴巴的时候，我从他的眼里看到了光。那光芒就像当年我从杨致远眼中看到的一样。我知道，马云和杨致远是一个级别的创业者，他将来一定会成功。

……当我回头看到底什么最重要的时候，我一直不断地对自己重复，这里面最重要的是一个精神，你得有激情，你得有激情帮助社会、帮助人们，这个会给我们带来最好的结果。

——孙正义

孙正义的投资智慧让很多人佩服，与其他投资人不同的是，孙正义的投资不仅仅是通过风险投资来获得钱，钱不是他最终的目的，用他的话说："不是因为我们有钱，所以我们才成立企业，而是因为'我想做什么'。"因此他的投资往往更有战略性。

目的不同则手法不同。"小米之父"雷军同样是一名成功的天使投资人，他的投资学就很有个人特色：

3条原则：第一是不熟不投，第二是只投人不投项目，第三是帮忙不添乱。

4个条件：大方向很好，小方向被验证，团队出色，投资回报率高。

只投熟人是雷军投资的最大特点，他的投资只限于"朋友"和"朋友的朋友"——最多不超过两层关系。

孙正义的投资理念则不看关系，不看背景，最看重就是创业团队的激情，这有一定的心理学道理。

心理学家威廉·詹姆士在1878年写给妻子的一封信里，表现出这种思想："我经常想，为一个人的品格下注脚的最好方法，应该是去找出他的精神或态度来，尤其是发生某些特别事件的时候，使他能感觉到自己最深刻、最活跃的生命来。在这种重要时刻，通常会有一种声音在他内心深处呐喊：'这是真正的我啊！'"也就是说，兴奋时刻会把我们的真正面目呈现出来。因为，感觉到"最深刻、最活跃的生命"。

2008年，马云问了孙正义一个问题："当初为什么会投资阿里巴巴和雅虎，而且是在两个公司成立不久的时候？"

当时的互联网刚刚起步，雅虎的创始人杨致远只是个年轻的学生，比当年的马云还要青涩，而且雅虎的项目没有任何收入，利润为零，怎么看都像是学生们的社会实践。

1994年，杨致远26岁，还没有结束自己在斯坦福大学的博士生研究工作。原本他和自己的合作伙伴大卫·费洛在校园里租了一个阁楼作为实验室，借着学校网络搭建网络分类目录站点，可供登录者按自己的需求查询内容。这是雅虎最早的雏形。

不幸的是，学校的网络因为他们的服务器不堪重负，最后他们被"赶"出了校园，不得不将实验室搬了出来。这时的杨致远非常窘迫，没有电脑也没有服务器。他不得不花掉自己所有的积蓄买了几台电脑，然后租用其他大公司的服务器。

1995年，杨致远和大卫需要投资来发展自己的网站。他们接触了很多硅谷的投资人，几家公司，包括著名的红杉资本都对他们十分慷慨。不过在遇到孙正义以后，这些钱都成了小钱。

孙正义前后一共给他们投了1亿多美元。就连杨致远自己都承认，孙正义当时就像疯了一样。在1996年，给一家新兴的互联网公司投资100万美元都是天文数字，更何况是整整1个亿。

孙正义的解释是："我从他们（杨致远和马云）的眼神里看到了激情和纯粹的力量。"也许孙正义在雅虎的杨致远身上还看到了当年的自己，他的第一个公司同样是以学生的身份创立的，凭着一腔热血坚持，最后走向了世界。

美国自然科学家、作家杜利奥提出的杜利奥定理同样证明了激情和纯粹的重要性。他认为：精神状态不佳，一切都将处于不佳状态。赤诚的心，就是不虚伪造作、实实在在的心态。世上总有些人在事业上不顺利，即便拥有资金和能力，煞费了苦心，拟订详细计划，酝酿战略战术，仍然一无所获，这主要是因为他们心机过重，反受其害。心思单纯的人，以简单纯粹的念头为出发点考虑问题，往往一鸣惊人。

拿破仑在第一次远征意大利的行动中，只用15天时间就打了6场胜仗，缴获21面军旗，55门大炮，俘虏15000人。在拿破仑这次辉煌的胜利之后，一位奥地利将领愤愤地说："这个年轻的指挥官对战争艺术简直一窍不通，用兵完全不合兵法，他什么都做得出来。"拿破仑发动一场战役只需要两周的准备时间，换成别人会需要一年。这中间之所以会有这样的差别，正是因为他无与伦比的激情，强烈的征服欲望，敢想敢干。

这样的人在孙正义看来，是最好的潜力股。所以，最后他拥有了雅虎30%的股份。孙正义对自己非常有信心，也对年轻人废寝忘食的工作态度有信心。2001年，雅虎的股价一度达到250美元，如果按照孙正义当时的投资来看，他拥有了100倍的收益。孙正义对雅虎的投资案成为华尔街的教材，而当有人质疑风投对中国互联网的投入时，风投们会说："你们看看雅虎，看看孙正义。"

【孙正义说】

我从他们（杨致远和马云）的眼神里看到了激情和纯粹的力量。

以简单纯粹的念头为出发点考虑问题，往往一鸣惊人。

投资人要扮演好导演和制片人的角色

我只在背后帮助企业家们，不会插手企业的经营管理，除非他们咨询，否则不会给意见。而且我还禁止身边的人干涉创业团队。

——孙正义

钱说了算，还是项目说了算，这是投资人经常遇到的问题。

尤其当创业团队是一群没有经验的新手时，资格老的投资人经常会忍不住"出言指点"，而投资人的理由看上去也挺合理，一则借"帮助"之名，二则"心疼"自己的投资。

但这些举动在孙正义看来，都是"越界"，因为投资人只是提供资金、资源，偶尔在创业者的咨询下提供自己的意见和经验。换句话说，创业者才是企业经营这场"大戏"的主角，投资人只是幕后的"导演""制片人"，切忌"好为人师"。

说起来容易，做到太难。检验孙正义的"不干涉投资企业内政"的策略，最好的例证就是UT斯达康，因为UT斯达康的创始人是孙正义的生平知己陆宏亮、吴鹰。人很容易对外人有礼貌，可对熟人一般都不顾斯文。

受孙正义的影响，陆宏亮和吴鹰两人都在互联网行业深耕细作。陆宏亮在美国加州成立了Unitech公司，1992年吴鹰在中国杭州成立了Starcom，在孙正义的撮合下，两家公司在1995年合并为UT斯达康。

合并之后吴鹰和陆宏亮都跑去找孙正义要钱，因为当时UT斯达康并没有什么让人眼前一亮的产品，在金融市场上融资有一定难度。面对好朋友，孙正义并没有满口答应下来，而是继续恪守他的投资原则。孙正义先是让陆宏亮讲述UT斯达康的发展策略、企业目标和赢利模式，听完之后，孙正义无动于衷。这时吴鹰上台演讲。

吴鹰是公司中技术攻关的负责人，他成立Starcom之前曾在贝尔实验室从事个人通信服务、多媒体通讯等前沿技术的研究，担任高级研究员、项目主管。在听了技术负责人吴鹰的30分钟演讲后，孙正义终于同意投资3000万美元给UT斯达康，并且占30%的股份。

这份对于老友的谨慎，表现了孙正义"投资与人情分离"的投资哲学。后来的事情更加证实孙正义在投资方面倾向于一码归一码。

1995年10月，吴鹰担任UT斯达康的中国区总裁。1996年吴鹰在中国主导小灵通的研制与开发，并力求尽快推向市场。这项业务最初并不被其他股东看好。

1998年，吴鹰主持的小灵通成为公司最成功的产品，UT斯达康开始在中国起飞。UT斯达康营业额在2005年曾达到最高值27.03亿美元，但是2008年起急剧下跌，被称为"小灵通之父"的吴鹰暗淡地离开了UT斯达康。在这个过程中，孙正义依然秉持"不干涉"政策，哪怕是自己的投资已经高达1.6亿美元，而且是UT斯达康最大的股东。

吴鹰离开后，UT斯达康从2005年就陷入连续亏损的泥潭中，陆宏亮向孙正义咨询意见，希望能够扭转败局。在陆宏亮的邀请下，孙正义开始介入UT斯达康的运营，并在2011年获得了盈利。

吴鹰离开UT斯达康后，和老友孙正义成了同行，成为投资人。2008年中泽嘉盟投资有限公司成立，他投资的范围包括众多领域。区别于孙正义擅长从长期投资中获利，吴鹰更倾向于阶段性投资和短期投资。仅一年，吴鹰的中泽嘉盟就实现了盈利。

现同在投资圈的孙正义和吴鹰表现出更多的相似和不同。孙正义的投资大多是围绕着互联网及相关的领域展开的，但吴鹰的中泽嘉盟投资范围更广泛，包括TMT、电信、新能源、消费等领域。

近些年来，随着软银集团的逐渐扩大，孙正义手中掌握的人脉和资源也越来越丰富。他开始更多地在"不干涉内政"的前提下，给创业团队带去更多的帮助。孙正义会跟创业团队聊天，询问企业家还缺哪些资源，有什么他可以帮得上忙的。

比如软银投了一个十几个人的小企业，创业团队想见一个几十万人企业的CEO，见不着。孙正义把双方请到一块儿吃个工作餐。这对小企业可能至关重要，中国是一把手文化，有些事情一把手一推，可能就做成了。

除此以外，孙正义依然很少影响或插手创业团队的经营管理。其实，孙正义一直在努力扮演"导演"和"制片人"，不停启发"男女主角"，也就是创业团队，并且鞍前马后地服务，包括很多的"影像效果、景色、跑龙套"等事情，还有启动"拍戏"的钱，都由他负责，为的只是能够出一部好的"剧作"，办一家优秀的公司。

【孙正义说】

我从不干涉创业团队的经营。

除非他们咨询，否则不会给意见。

想让果树长大，就别指望马上摘果子

让它再长一长。只有耐心是不足够的，就像你说的，方法也是很重要的。你必须有足够的激情，对自己做的事情感兴趣，有想要对它进一步了解的激情。这样你才能确定，哪一颗种子能够长成最好的苹果树，用什么样的化肥，在什么样的土壤上最适合。这样你就会变为最聪明的投资人。如果你是一个非常聪明的投资人，能够看到今后的情况的话，那么在这之前，你需要做的就是有耐心。

——孙正义

2014年9月19日，阿里巴巴上市当天，孙正义在他的推特主页上轻松地写道：

"顺便说一句，现在在纽约，为了观摩阿里巴巴的上市。"

是啊，孙正义的心情怎能不好，14年前种下的一颗种子，终于到了收获的这一天。

14年前，孙正义在当时名不见经传的阿里巴巴身上投下2000万美元的赌注。没想到这个让中国制造商与海内外买家实现互联的门户网站日后竟演变成了中国头号网上购物商城，软银所持股份价值也因此暴涨，即便按硅谷的标准衡量，这也算得上是超级投资回报。

人们在艳羡孙正义"运气好"的时候，是否想过，即使你遇到马云这只潜力股，你能有憋住14年不动摇、不干涉、不撤退的耐心吗？

商界流传这样一句话：不管你在做什么，只要能坚持8年，都会有所收获。对于创业者来说是"坚持"，对于投资人来说就是"耐心"，心急是吃不了热豆腐的。

对于自己的耐心，孙正义说："我等果子长成熟了再摘，否则一是不好吃，二是吃了会消化不良，要拉肚子的。"

大多时候我们无法测定一个企业或项目的真正价值，然而只要我们发现它的真正价值，并且感觉它就是自己正在寻找的对象，我们所要做的就是毫不犹豫地投入。此后，我们没有必要天天盯着计算机屏幕猜测股价下一步的变化方向，要相信自己对某家企业的看法是对的，并且恰好在一个适当的价位做了投资，只要耐心等待，今后仍然不断坚持这样的策略，并且毫不放松投资选择标准就行了。

美国棒球手泰德·威廉姆斯在他的传记《我的生活故事》中写道："我的观点是，要成为一名优秀的击球手，你必须等到一个好球才去击打。……如果我总是打那些在我的幸运区以外的球的话，那么，我根本不可能成为一个击球率是0.344的击球手，我只可能是一个击球率0.250的击球手。"

巴菲特说过，他很少能同时发现两家或三家以上可让人有信心的企业，要耐心等待，因为只有等到退潮时，你才会知道谁一直在光着身子游泳。

投资股票致富的秘诀只有一条，买了股票以后锁在箱子里等待，耐心地等待。

当然，耐心等待不是静止不动，要有仔细的观察，以此来判断枝头的"果子"是否已经成熟，否则根本无从寻觅"最佳收割时机"。而在等待的过程中，投资人需要经常与创业者保持沟通，了解被投资企业的点滴动态，每一笔钱的来龙去脉都要做到胸有成竹，"像自己在亲自运营这家公司一样关注它"。

除了投资后的耐心，投资前也需要耐心，甚至更重要，否则你可能会选错创业团队，把开花结果的种子种在"铁树"之上。

那么，如何才能甄别一棵"树"能不能开花结果呢？孙正义的方法是耐心细致分析，在搞清楚之前绝不冒进。

1. 企业或者项目是否简单易于理解

一项投资行为能够取得成功，和投资人对自己所投资对象的了解程度有密切关系。以这样的了解，可以分辨出哪些投资人是以企业发展走势作为选择依据的，而哪些投资者只是带着希望一夜暴富的投机心态投资的。

孙正义的投资涉及互联网领域的许多企业：宽带服务、移动运营、电子商务、移动设备、视频、网络新闻等。无论孙正义是拥有企业的控制权，还是只拥有该企业的部分股票，有一点是相同的：孙正义总是掌握着那些企业的详细运作状况。他只在了解的范围内选择企业，从不轻易涉足不擅长的领域。

2. 经营方针是否足够稳定

孙正义不愿意碰触复杂的企业。对于那些因为面临难题而苦恼，或者因为先前经营计划失败而打算彻底改变经营方针的企业，他也敬而远之。孙正义认为，重大的变革和高额回报率是没有交集的，通常只有那些长期以来持续提供同样商品和服务的企业才能够拥有较高的回报率。

3. 是否拥有良好的长期发展前景

孙正义曾经说过，他所喜欢的企业，一定具有他所能了解，并且认定它拥有持续长久的经济优势。经济市场是由一小群有特许权的团体和一个较大的商品型企业团体所组成的。后者中大多数都是不值得投资的，而前者大多数都是可以投资的。

孙正义收购美国第三大通信运营商Sprint的70%股权，看中的就是该公司良好的发展前景：电信服务运营行业有高于产业平均值的趋势。一旦通信运营建立起来以后，投资和营运所需要的资金并不多，而且没有存货投资。通信运营公司的投资回报都会高于产业平均值，赚取的现金也都超过企业运营所需的费用。再加上孙正义经营软银移动的多年经验，由此可以断定，Sprint的发展前景相对乐观。

【孙正义说】

如果你想让一棵果树长大，年年硕果累累，那就不要太早摘下它的果子。

只有耐心是不足够的，就像你说的，方法也是很重要的。

投资的理性与血性：结构性大趋势到来前抢先一步

在21世纪，我想主要的竞争领域就是为人们获取信息……所以我的关注点是信息获取，也就是网络业务……

关注趋势才能洞悉未来，所以，在别人那里是赌博，在我这里是有把握的行动。

——孙正义

最先到达终点的不是跑得快的人，而是走近路的人。孙正义能够在短短数十年间创造如此令人瞩目的成就，他的"近路"就是远见，比一般人更早看清趋势而且敢一直坚持下去。

提起目光长远，孙正义向来被誉为拥有"300年长远视野"的投资人，而纵观他的投资生涯，就可以发现，其实他投资的企业绝大多数都是互联网企业或是互联网相关企业。

据不完全统计，雅虎、UT斯达康、利多证券网、思科公司、美国网络公司、金士顿、美国晨星、纳斯达克日本、互联网络景象公司、日本青空银行、全球体育公司、电脑通信公司、软件银行交互公司、探索公司、Ziff-Davis、E*Trade等数百家公司都是孙正义在日本和美国的投资。

他的另一个投资重心是中国。阿里巴巴、网易、盛大网络、新浪、8848、当当、携程旅游网、方正控股、分众传媒、顺驰中国不动产网络、美商网、欢乐传媒、碰碰网、青牛软件、摩比天线、亚洲网通、银联商务、好孩子育儿网、人人网等数百家公司，都曾获得软银投资。

在众多投资当中，最成功的当属美国的雅虎和中国的阿里巴巴，雅虎和阿里巴巴也是孙正义取得成就的重要基石。

很多人都认为孙正义在30年前的时候挑中互联网行业是因为运气好，把他在互联网方兴未艾时投资大量公司也归功于运气。杨致远却说："那时雅虎的许多人都认为他疯了，在1996年花1亿美元是要有很大闯劲才行的，但我认为他的成功不是靠运气，他是个能前瞻15年到20年的人。"孙正义自己这么看："1次成功可能与运气有很大的关系，100次成功几乎与运气无关。"所以每当别人问起孙正义是否在"赌运气"时，孙正义总是会自信满满地回答："专注互联网投资，在别人眼里就像是赌博，但在我这里是深思熟虑后的决定。"孙正义不是抓住了一两次机会，而是看到互联网行业的大趋势，所以即使他可能在少数企业投资上遭遇失败，但只要专注下去，成功概率就大大增加。

其实，不仅是互联网行业，在大多数行业中都可以看到结构性趋势的变化。所谓结构性趋势，就是指长期大趋势。结构性趋势在短期内对行业的影响微乎其微，但它远远比短期性波动重要得多。事实上，谁能利用好结构性趋势，谁就能取得成功。

孙正义信奉这样一个观点：人类历史上一共经历了3次革命，农业革命、产业革命以及目前正在进行的信息革命；他认为，在信息化社会的第三阶段，由提供数字化信息技术的微软、英特尔、思科、甲骨文等国际知名企业担纲主演。但是，只有信息化社会的第四阶段来临，提供数字化信息服务的网络公司跃出台面，革命才算是真正成功。那时信息产业的成长幅度也会比现在的个人电脑产业大得多。这是孙正义坚定的"未来趋势判断"。

孙正义的梦想是"当信息化社会进入第四阶段，希望软件银行能够名列世界前十大企业"。为实现这个目标，孙正义做了规模宏大的部署。他用别人觉得疯狂的方法，在20世纪的最后6年时间里，投资600多家IT公司。在日本，最大的在线游戏公司、最大的入口网站、最大的电子交易网站、最大的网络拍卖服务都被孙正义收入囊中，他曾说道："在日本，我们就等于雅虎加谷歌加eBay。"每当孙正义看到有前途的公司时，他就会猛扑过去。其中对雅虎的豪赌让孙正义一战成名。孙正义的雅虎股票每股投资成本约2.5美元，市场价则最高达到250美元，升值整整100倍。到2000年，软银已成为国际网络业的最大股东。2000年年初，软银股价比发行价升值90倍，孙正义身价达到顶峰。

孙正义认为，从拨号到宽带，不过是网络革命性改变的第一阶段，接下来，手机宽带上网将会是下一个主流。现在，全世界一年卖出两亿台个人电脑，手机的销量是电脑的5倍，手机上网时代的到来是大势所趋。孙正义要抢的下一个第一，就是手机宽带上网，2007年软银为此投入155亿美元。拿到手机上网主导权后，孙正义将要采掘下一个金矿：手机上网购物。孙正义说："这个大趋势刚刚开始。"

当结构性变化出现时，故步自封的人面临被淘汰的危险，而迅速改变的人将迎来机会。对于任何企业来说，对抗大势必然会失败。德鲁克说，在短期内与趋势抗争非常困难，而且长期与趋势抗争几乎是毫无希望。所以，孙正义的观点永远都是"看清大趋势，比别人更早动起来"。

【孙正义说】

我的关注点是信息获取。

关注趋势才能洞悉未来，所以，在别人那里是赌博，在我这里是有把握的行动。

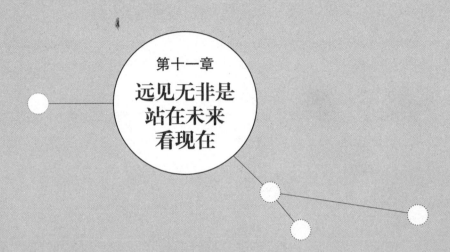

第十一章

远见无非是站在未来看现在

几年之前，美国的公民当中50%使用互联网，所以你在讲到互联网的时候，意味着就是美国公民所享用的技术，他们占全世界网民的50%。在今后的几年，美国在这方面重要性将会降低，中国的宽带已经成为全球最大的，比美国的规模还要大。亚洲主要的网民人数将会占到全球的50%，美国网民人数只占12%。以前所有取得成功的网络公司，所有的老大，都是美国公司。但是在不远的未来，你如果不能在中国做到最大，你就没有办法在全球做到最大。很多中国的网络公司将会成为全球最大的网络公司。

将"未来"复制到"过去"

我在美国的时候，仿佛看到了几十年后的日本。因为美国是这个星球上最发达的国家，未来日本也一定会有这一天。

所以说，我的方法是完全不一样的，我的方法风险比较大，也很困难。但是我的方法是见效很快的一种方法。

……我的方法的第一步是要有一个非常大的愿景，有一个成功的景象，然后我再决定，我要在多少时间里面实现这个愿景，是30年，还是10年。我先决定一个具体的日程表。多少年，我要实现这个成功。

接下来我再倒数回来，一直回推到今天，从30年后推到20年后，从20年后推到10年后，从10年后推到一年，所以我不是一步一步按部就班地去想，这不是我的风格，我的风格是把这个目标定好，非常庞大非常成功的愿景，然后再回推到我们今天上来。

——孙正义

"坐着时光机回来的人"，这是外界对孙正义战略眼光的评价，因为他总能在别人还没有摸清门道的时候，就开始自己的布局，而且在日后得到超高回报。这个信奉"时间机器"理论的男人，对全球的市场有着自己的洞见，无论他进入哪个领域，防守者面对的都是来自"未来"的挑战。

1995年美国硅谷的互联网兴起，孙正义将自己的触手伸向了雅虎。借着成熟的美国市场证明可行后，孙正义带着雅虎回到互联网发展滞后的日本，成立了雅虎日本。当时日本的互联网从业者一片惊诧："搜索引擎是什么，有那么多人会上网查东西吗？"后来雅虎日本几乎成了日本网络的代名词，超过85％的日本人都登录过这家网站。

如果仅仅认为孙正义从互联网经济发达的美国，引入最新技术返回日本，那就把他想得太简单了——日本也有走在美国前面的"未来科技"。

2012年10月15日，孙正义宣布以201亿美元收购美国第三大通信运营商Sprint公司70％的股权。孙正义启动了迄今为止史上最大规模的跨国并购。

外界显得不理解，把这次并购看成是"不理智的孙正义做出的疯狂决定"，因此在宣布并购的声明发表当天，软银的股价下跌了近17％。在美国的通信行业打天下并不容易，就算软银收购了Sprint，也没有对美国的通信市场造成大的改变，更何况这次收购孙正义大有"倾尽家财"的气势，并购所有的资金都来自银行贷款。

为什么孙正义会如此自信？因为美国对于他而言，就好像是电信业还没有发展起来的日本一样。此刻进入，他好像坐着时间机器回到了几年前的日本。

在电信行业，日本属于全球范围内最发达的国家。NTT、KDDI以及现在的软银移动无论是在服务水平还是终端定制方面都有着无可比拟的竞争力。相对来说，美国的电信运营商则要落后一个阶段。

美国的电信市场和日本市场的激烈相比就是一汪死水，毫无波澜。孙正义到了美国的市场，要做的就是将"未来"，也就是日本市场上证实成功的经验复制到"过去"，即美国市场。

不仅仅在日本、美国，孙正义还在中国、印度开展自己的业务，无论是互联网还是软件，他都像是坐着时间机器，穿梭于各个发展阶段不同的国家中。因为孙正义身处制高处，观察全球经济形势，不仅从经济发达国家看到先进，更从经济落后国家看到先进。

2014年10月28日，孙正义计划向印度科技和通讯企业投资8亿美元。其中，软银将向印度在线零售商Snapdeal投资6.27亿美元，同时向印度大型出租车公司Ola Cabs投资2.1亿美元。为了达成这次投资，孙正义和印度总理纳伦德拉·莫迪（Narendra Modi）专门进行了一次会谈。而在此之前，软银就已经开始向印度尼西亚的电子商务领域投入大量资金。

近年来，得益于廉价智能手机的普及，印度互联网覆盖率稳步提高，印度民众已经开始习惯于在线消费和网购。印度电子商务还处于腾飞的早期阶段，孙正义通过2000年投资中国电商巨头阿里巴巴的经验，预测未来印度的电子商务上升空间很大。经过研究，印度的电子商务交易量将从2014年23亿美元飙升至2019年190亿美元左右。

要知道，目前印度是全球第三大互联网国家，尽管目前的在线市场还相对较小，但是印度庞大的人口基数决定了其庞大的市场。对于孙正义来说，对Snapdeal的投资其实是他在放弃收购T-Mobile美国分公司后的最大国际扩张举动，下那么大的决心就是因为"时光机理论"给予的信心。

【孙正义说】

我在美国的时候，仿佛看到了几十年后的日本。

接下来我再倒数回来，一直回推到今天，从30年后推到20年后，从20年后推到10年后，从10年后推到一年，所以我不是一步一步按部就班地去想。

互联网经济：再小的领域也要做第一

我也是一步一步来的，首先我是从这个行业中小的行业开始做起来的，但是我始终保持一点，即便这是一个很小的行业，很少有人理解它，很少有客户能做生意，但我仍然要做到第一，我一直要做到第一。

一个企业的发展与它在行业中的压倒性优势成正比。为了我们的客户，为了软银的员工和未来，我们必须成为业内第一。

两年以前，我做出了一笔很大的投资。我们收购了一个日本的手机公司，当时是日本的第三大移动运营商；但跟其他的竞争对手比，我们是很小的，我们是最小的一个手机公司。但是我仍然希望成为第一，我们做出了许许多多的变化。在这两年的时间里面，我们得到的新用户数量是最多的。当初我们收购这家小公司，每个人当时都说，软银肯定会把这个事情搞砸了，软银肯定会陷入困局当中，但是我们现在已经有了超过50%的市场份额。

——孙正义

"一定要成为行业第一"，这是孙正义常挂在嘴边的一句话。不过重点不是他要成为第一的决心和希望，因为每个企业家都想成为第一，重点在于软银必须成为第一。

58同城CEO姚劲波说："互联网社会，任何一个细分领域，做到第一能活得很好，做到第二、第三会比较辛苦，做到第四，生存都成问题。"寺库网创始人李日学说："互联网社会只有第一，要想活得好，就要做到最好。"

线下的市场是"二元市场"，世界著名的营销战略家艾·里斯分析了二元市场的现状。比如超市里可乐是可口可乐和百事可乐；世界石油公司，是美孚和壳牌。在100年前，美国有500多家汽车公司，但是现在人们只看到两家：通用和福特。里斯总结说："这种'二元定律'表明，第三个品牌在市场上生存空间狭小，统治某一门类的是两个品牌。"而且这两个品牌会产生马太效应，聚集在它们身上的财富越多，而第三名到最后一名会越来越没有生存的空间。里斯还举了一个例子：1999年，IBM宣布退出电脑零售市场，因为公司当年在零售市场上折损10亿美元，当年控制个人电脑市场的是戴尔和康柏。

所以，对于传统市场来说允许存在第二名，而且第二名的存在也是必要的，因为代理商们在销售某个门类时，不可能只依赖一个品牌。他们和第一品牌谈判时需要第二品牌，比如："美孚，如果你们无法给我更好的广告合作补贴，那么壳牌也许可以。所以，这个月的销售优惠我就只能给壳牌了……"诸如此类。所以，在某种程度上说，代理商造就了第二品牌。

但是在软银涉足的互联网行业中，品牌之间的竞争是传统企业无法想象的。这里的品牌没有第二名，只有第一名。借用2014年世界杯上阿迪达斯打出的广告语来形容，就是：all in or nothing——要么赢，要么一无所有。

之所以如此，是因为互联网的特性决定了高效的传播和获得信息的对等，所以互联网品牌与用户之间不再需要代理商。这种情形比尔·盖茨在1995年的《未来之路》中就已经为我们做出了展望。他认为，互联网路将扩大电子市场，并且使之成为最终的媒介。这意味着消费者在互联网上获得商品信息的成本极低，企业比以往任何时候都更清楚消费者要的是什么。没有了代理商，就没有了谈判议价的需求，就没有第二品牌存在的空间。

在互联网上，消费者第一想知道的不是你是哪个牌子，而是你卖的是什么。比如我们想要安装宽带，一定是找"宽带安装"，而不是搜寻"软银雅虎BB"。所以如果你无法让消费者第一时间知道你是"哪一行"，那么就无法更多地吸引他们。

所以，软银必须尽力创造行业第一。这包括：第一位的商品，如新产品或差异化产品；第一位的零售订货率，这是流通战略中最关键的步骤；第一位地域，即将市场细分后，逐个击破，从各区域第一进而追求整体占有率的第一。

1999年，经过仅5个月的准备，孙正义在日本启动了雅虎拍卖业务，两个月后，雅虎拍卖的商品数量就超过了10万件。发展迅速的雅虎拍卖有一个强劲的对手——eBay。

2000年，eBay与NEC合作进行促销，声势浩大。一时间，雅虎的拍卖业务大幅度缩水。经过调查，孙正义知道了消费者的困惑，当消费者想要拍卖东西的时候，会有两家很大的企业承接，最后的选择自然是哪家的价格低选哪家。

面对对手的出招，孙正义推出了免费拍卖业务，言下之意就是"亏本也要留住客户"。免费，加上本土优势，雅虎日本的拍卖业务吸引了大量的用户，eBay作为一家上市公司，在财报的压力下无法采用相同的策略进行回击，因此落了下风。

雅虎日本的免费策略取得了成功，eBay的业务量一直在萎缩。

2001年，雅虎日本的拍卖业务开始收费，每月280日元。就在这时，eBay效仿孙正义的做法开始免费，也想凭借相同的战略打个翻身战。结果由于前期他们已经失去用户基础，因此这一招打空。eBay在2002年3月败走日本。

在赶走对手后，孙正义开始进一步巩固雅虎的拍卖业务，比如他向中标人征收商品成交价3%的服务费，同时向每件商品征收10日元的拍卖费，以此解决了低中标率产品的展出问题。

2007年，雅虎日本发表了一项声明，决定与eBay合作。雅虎日本的用户可以直接用自己的账号登录eBay的代购网站"世界门"。借着这个合作，软银与eBay实现了强强联合，eBay在日本重树旗帜，雅虎日本扩展了海外业务。最终，孙正义在日本网络拍卖市场上的地位无人可以撼动，雅虎日本成为拍卖领域无可置疑的第一。

不仅是雅虎拍卖业务，孙正义从"这个星球的互联网经济上拿到最大份额"。这些份额并不是通过鲸吞某家大企业实现的，而是通过日积月累实现的。"不管这个行业有多小，只要做到第一，我就能满意。在某个小镇成为第一，在某个业务领域成为第一。很小的人群，很小的领域，这个都不要紧。你只要成为第一，客户就需要你。某一天你会成为一个大的领域的第一。"

【孙正义说】

成为第一自然会增长。

我口中的第一不是全世界的第一，而是行业的第一。

画不好大愿景，画小图也会走样

不谈愿景的领导不是好领导。

第一次提出"30年愿景"的时候，是创业之时，我第一次举行公司早会，除我之外公司员工只有两人，在早会上我差不多说了半个小时的未来愿景，两个员工都睁着眼睛听，觉得自己身在一个奇怪的公司，两星期过去后两个人就辞职了。

进行长长的演讲述说公司愿景，会给员工留下心理阴影，所以我把愿景封印在心里了。创业经过了30年，我再一次把这个问题摆在员工面前，把至今以来的30年愿景述说出来。

——孙正义

所谓企业愿景，也就是企业的长远目标和企业自身的价值观。很多人都认为，谈企业价值观是一件很虚的事情，因为那些愿景总是显得那么遥不可及。

在孙正义看来，企业领导不仅要谈愿景，而且要大谈特谈，因为他认为"画不好大愿景的人，在画小目标的时候也一定会走样"。孙正义的观点与许多成功的企业家不谋而合，"三流企业靠人才，二流企业靠制度，一流企业靠愿景"更是商界的共识。

其实，用愿景来指导工作，是一门深邃的管理艺术，同时也是企业不断发展的一种战略方法。成功的企业愿景就好比预言，具有唤起员工行动的力量。一般来讲，愿景的言语应该是平实的、易懂的，但又必须具有无法抗拒的力量，让每一位员工在做出重要决定和行动时都会自问："这符合我们的愿景吗？"与此同时，成功的企业愿景必须致力于满足客户的深层次需要，从生存需要、信息需要直到发展需要和情感需要，同时也必须根植于企业全体员工发自内心的共同愿望。我们可以看一下一些著名的跨国公司的美好愿景：

迪斯尼乐园——给人们带来快乐；

美国房屋抵押协会——使住房民主化；

沃尔玛公司——给普通人提供和富人一样的购物机会；

波音公司——成为全球最大的商用飞机制造商，并把世界带到喷气式飞机的时代；

花旗银行——成为世界上服务最好和最大的世界性金融机构。

企业对于未来的展望和美好愿景的憧憬，往往代表着企业努力追求和争取的目标，远大目标并不是一成不变的，它会随着企业经营环境的改变而改变；愿景却可以在一个相当长的时期内保持不变，从而有效地指引人们前行的方向。在日常工作中，面对突如其来的变化，人们本能的反应是畏惧或者逃避，而清晰的企业愿景可以消除团队成员的畏惧和逃避心理，引领团队前行的方向并将企业的未来提升到一个战略高度上来。

作为日本著名的"愿景大师"，孙正义为软银定下了众多"痴人说梦"似的宏大愿景，就在2012年3月10日，孙正义再次提出了一个震惊四座的跨越亚洲的愿景——"亚洲超级电网"（Asia Supergrid）。福岛核危机爆发后，为了寻找缓解日本能源危机的方案，孙正义决心进入新能源领域，以期未来让日本逐渐减少对核电的依赖。

为此，孙正义在东京召开讨论关于新能源的学术研讨会Revision2012。在他的宏大构想中，孙正义构建了一条从蒙古戈壁滩出发，向南一路经过中国北京、上海，向东跨越韩国首尔，最终进入日本东京的能源结构路线图。

依照孙正义的设想，蒙古高原上的四季狂风将被利用来发电，最终为东京服务，"如果能将蒙古高原上的风力发电利用到最大，将产生每年8100万亿伏的电力，而这将是日本消费电力的8倍以上"。

当时很多人都不看好这份宏大愿景，因为这条能源路线跨越如此多的国家和地区，根本不可能有实现的一天。此外，这份宏伟的计划引起了谨小慎微的日本民众的质疑：如果和路线经过的其他国家起了冲突，他们切断电力该怎么办？

面对外界的质疑，孙正义有着自己的一套办法。

首先是坚定自己的信心，绝不向外界屈服。

其次是输出自己的愿景和价值观，具体参照下面的做法：

第一步，对目前的个人愿景进行描述。可以尝试对周围的人描述自己目前的愿景，这些愿景包括自我形象、有形的财产、感情生活、个人健康、人际关系和工作等。想想自己曾经建立的愿景中哪些实现了，哪些没有实现，原因都是什么。

第二步，想象一下实现愿景后的情景。想象自己实现愿景后的情景，这种情景是不是自己想要的。

第三步，检验并明确自己的愿景。检视自己最想要实现的愿景和其他不同层面的愿景，找出最接近你内心深处的层面。

通过上面的办法，孙正义不仅让软银的员工和自己站在了一条战壕里，甚至说动了众多政府首脑。2011年6月，孙正义在会见时任韩国总统李明博时说，不论是对于韩国、中国，还是日本、蒙古，开发和使用可再生的新能源都具有重大的意义。为了打消各国领导人的技术顾虑，孙正义说："这在技术上是完全可行的，不存在特别难以攻克的障碍。"

很显然，孙正义是搭建企业大愿景的好手，他也对"愿景驱动团队"的管理方式很认同：

首先，建立积极的能量网络，让积极增能者带着团队奔跑。

心理学研究发现，人们在交往中被分为两类：积极增能者和消极增能者。和前者在一起，你的生命力和活力都将得到增强，而后者则让你感觉筋疲力尽，耗尽热情或者被贬低。积极增能者能够让别人的工作更加积极，效率更高。领导者要能够识别团队中的积极增能者，给予一定的奖励，将他安置在能够和其他成员相联系并且能够影响别人的位置上。同时，尽可能在工作中给员工提供建立亲密友情的机会，比如，苹果公司的"度假会议"，乔布斯会安排一个团队的人一起参加娱乐活动。

其次，给员工画出一个富裕的愿景，再配上一个醒目的标志。

这里所说的"富裕"，是指一个积极的未来，一个美好的环境和人们潜意识中的愿景。从心理学的角度来说，每个人潜意识中都有一个最根本的愿景，那就是做出的事情与众不同，比生命还要久远，同时能够给更多人带来积极的影响。这和以赢得一定的市场利润为目标的愿景是不同的。先来看看苹果公司为员工制定的愿景：

我们的梦想还是让每个人都拥有一台电脑。我们有改变世界的热情。在我们的努力下，个人电脑会成为人们家庭生活、教育工作中的生活方式。苹果公司将会发觉更多人们做事的新方式，打造一种卓越的、拥有非凡内在价值的产品。

一个饱含激情的企业愿景要具备两个条件：一是能够让员工感兴趣。它应该既是员工关心的信息，又能够挑战他们对自己所做事情的常规看法。好的愿景能够为员工思考自己每天在公司做的事情提供一种全新的方式，足够吸引人的注意力的同时，还带有积极的正能量。二是要简单直接，能在员工之间传播起来。

心理学研究表明，那些大声公开说出自己承诺的人比私下做出一样承诺的人更能达到目标。所以领导者要找机会让员工做出支持企业愿景的承诺，或者一遍遍地重申愿景。在阿里巴巴，马云就经常这样带着员工振臂高呼。另一点是要制定小量成功战略，也就是通过创造微小但是迅速的变化来形成员工工作的动力。先是找一些比较容易实现的事情来做，做成功后公开它。然后再找第二件这样的事情，重复这个过程。

很多企业家都害怕，说出太过遥远的愿景，一旦有一天实现不了，就会成为别人口中的笑话。其实，当孙正义说出大愿景的时候他也没有百分之百的把握，但是只要愿意将大愿景公布出去，自己自然会在公众的注目下一步步地走好，直至达到终点，这也是"画好大愿景才能画好小愿景"的真正内涵。

【孙正义说】

画不好大愿景的领导者，画小愿景也肯定走样。

领导者要多谈企业愿景。

愿景不只是"鸡汤"

你如何成功，如何实现你的愿景，如何贯彻你的精神，我有非常具体的战略实现这些目标。光有战略也不可能成功，因为在这之前要有愿景，然后才可能成功。

成功不会仅仅几年之后就降临，它需要多年的努力。所以我觉得大家应该准备好自己的清单来选择你的人生该怎样走，然后全心全意做你决定好的事情。

——孙正义

2010年6月25日，孙正义在东京举行了软银成立30周年庆祝会暨新30年愿景发布会。在长达两个多小时的公开演讲中，孙正义对自己创办软银的历程进行了回顾，其中不乏泪洒现场的感人场景，但最吸引人的还是孙正义新发布的软银未来愿景：

软银将通过信息革命，致力于全人类的幸福；

力争成为全球前十的企业；

软银集团旗下资产超过200万亿日元；

…………

一言激起千层浪，日本的"吹牛大王"又开始吹牛了吗？要知道，听见这番话的人可不仅仅是会场的几千人，还有无数在Ustream观看演讲直播的观众。

在豪言壮语之后，孙正义向外人细致地分解了他的"300年增长计划"。他开门见山地表示：不管周围的人怎么评价他的"存续300年的愿景"，他不会改变做出的决定，而且不再降低要求。看上去，孙正义大有"一个唾沫一个坑"的架势，在软银的日常工作中他也经常这样做。

假设上个月某位员工通过加班让业绩有了显著的提升，那么下个月他必须付出更多的努力。在孙正义看来，数字目标只有越来越高，没有停滞不前甚至倒退的可能，哪怕这位员工向他解释"上个月是通过加班获得的高额业绩"。

孙正义的私人司机曾说过一个真实的事例。

有一天这位司机载着孙正义从住处前往位于汐留的软银总部大厦，因为运气比较好，一路上没有遇到红灯，所以开得比平时快很多。从出发到进入软银大厦停车场，司机一共花了6分钟，可是事后6分钟这个数字就成了他的魔咒。因为孙正义自从有了6分钟从住处到达软银大厦的体验之后，就会提出每次必须在6分钟内完成这一过程的要求。这个要求给了司机很大的压力，因为并不是每一次都那么好运。但孙正义还是坚持认为，效率一经提高，就没有再退回去的可能。

如果光有一股豪情和不降低愿景目标的"狠劲"，也是不够的，只能被称为"不知天高地厚的吹牛骗子"，所以同类调查是必不可少的。"没有调查就没有发言权"，这是孙正义做事的法则。
在放出豪言之前，孙正义对日本和其他国家的大型企业进行了深入
的研究，尤其是一些寿命较长的企业。日本本土的财阀集团企业，
如江户时代就已存在的大财团，它们曾经辉煌，经过近代化改制，
最后在二战之后逐渐惨淡经营，走向灭亡。瑞典的瓦伦堡家族也
是孙正义的重点样本，这个家族拥有包括爱立信、汽车巨头萨博
（SAAB）在内的众多企业。除此之外，孙正义还考察了众多大大
小小的企业，它们是因为什么而发家，因为什么而没落。

经过多年耐心细致的考察，孙正义发现，大多数人都存在一个
认知上的误差，即"挖得宽不如挖得深"。很多人认为，要想企业
走得稳、走得久，做好自己的主营业务就可以，毕竟手中拥有稀缺
性的资源是让自己立于不败之地的不二法门。但事实并不是这样，
绝大多数单营企业在创业初期的确拥有无可比拟的优势，它们迅速
取得市场，快递扩大规模，很短时间内就能给投资者带来丰厚的
回报。

这类企业的代表就是美国企业，经营者推崇单一、简化的经营
模式，高效率地运行公司。然而上帝是公平的，没有哪一种模式是
最佳选择，因为这类公司的容错率极低，一旦出现闪失，几乎没有
挽回的可能，唯一的结局就是死亡。

除了对日本大小企业的深入研究，孙正义还有一个"细化"愿
景的方法，那就是以数据说话。孙正义通过数据语言的描述，让企
业愿景以及实现愿景的过程不再是充满个人主观色彩的"一厢情
愿"或者"随口说说"，而是一组组最真实的数据。行，还是不
行，通过数据一目了然。

"我是一个数字化的人。""数字从不会说谎。"

这些话都是孙正义常挂在嘴边的。他认为，只有数字才能将纷

繁复杂的事务简化到本来的面目。

不仅仅是软银，大数据时代的来临让每个企业都开始重视数据，企业的大战略愿景都有着坚实的数据基础，而不是领导者脑袋一热，拍板算数。

2013年5月8日，法拉利董事长卢卡·迪·蒙特泽莫罗在马拉内罗举行的Formula Ferrari全球新闻发布会上正式发布了最新的全球战略，并介绍了公司的核心业务领域。蒙特泽莫罗先生表示："我希望法拉利保持绝对的稀缺性。"

蒙特泽莫罗宣布了法拉利第一季度取得的丰硕成果，共销售了1798辆公路跑车（不包括预售的La Ferrari），同比2012年第一季度增加了4%，营业收入也增加至5.51亿欧元，同比2012年第一季度增加8%。此外，营业利润增长了42%，达到8050万欧元；净利润增长了36.5%，达到5470万欧元。

蒙特泽莫罗强调了2013年他对法拉利的愿景与规划：全球产量将控制在7000辆之内，以确保品牌与产品的稀缺与尊贵。

关于这一愿景，蒙特泽莫罗解释道："我希望法拉利保持绝对的稀缺性。这些想法和理念深受恩佐·法拉利的影响，如果我们控制产能，市场上将不会遍布法拉利的身影，现有车主们的法拉利跑车也因此更为稀有与保值。但是这不仅仅是我随口说说的'法拉利情结'，更有背后的数据支撑。"

既然每一项细微的工作都能做到"数据说了算"，那么无数个细微工作的集合也能做到"数据说了算"，而这就是愿景数据化、细微化的理论支撑。

除此之外，大数据时代的到来更加让数据支撑愿景有了把握，因为大数据存在的最大意义就是预测，包括但不限于愿景的预测。孙正义说："未来与趋势就在数字之中。"企业愿景永远都不是毫无根据、脑袋一热随口说出的豪言壮语，公司的前景战略应当有扎实的理论、方法、调查、数据作为支撑和佐证。这样不仅会让目标看起来不那么虚无缥缈，而且做起来会容易得多。

【孙正义说】

光有战略也不可能成功，因为在这之前要有愿景，然后才可能成功。

说到就要做到。

企业要超越创业者的生命

我死后，软银将继续存在300年。

——孙正义

孙正义的野心很大，他希望软银能够存活300年！在中国，马云喊出的是"我们要让阿里巴巴成为一家存活102年的企业"，而孙正义的口号是："软银将存活300年！"

2010年孙正义发布了具有承上启下意义的软银"新30年愿景"。面对现场的近万名软银员工，面对在Ustream实时观看的亿万观众，孙正义慷慨陈词："到2050年，软银旗下公司将由800家增加至5000家。软银将持续增长300年，成为全球最受人喜爱、最需要的企业。"

在孙正义看来，企业不应该依赖创始人，实现超越创业者这一目标的途径就是绘制企业战略地图。

什么是企业战略地图？

战略地图是由哈佛大学教授罗伯特·卡普兰和戴维·诺顿提出的。他们最早是平衡记分卡的创始人，在对实行平衡计分卡的企业进行长期指导和研究的过程中，他们发现，企业如果无法全面地描述战略，管理者之间及管理者与员工之间就会无法沟通。这种局面出现的原因是平衡计分卡只是为企业建立了一个战略框架，而缺乏对战略具体而系统、全面的描述。为了解决这个问题，他们经过深入研究，于2004年1月提出通过绘制详细的战略地图来具体地描述战略。

也就是说，战略地图是在平衡计分卡的基础上发展而来的，与平衡计分卡相比，它增加了两个层次的东西：一是颗粒层，每一个层面下都可以分解为很多要素；二是增加了动态的层面，也就是说战略地图是动态的，可以结合战略规划过程来绘制。

在软银，孙正义将这一过程模拟为银河系的运转。在颗粒层，软银旗下的每一家公司都像一颗完整的颗粒，有着自己的"自转"，而每家企业都有属于自己的计量要素，互相之间可能相差很大。在流动层，则是说明软银内部并非"一汪死水"，而是像银河系一样，看似每颗星星的位置没有变动，实际上每颗星星都在做着高速的运动。也就是说，每个公司不仅自己内部充满着运动，互相之间也有互动和配合。

为了使企业的流程得到改善，或者说为了使企业流程卓越，卡普兰和诺顿还将学习与成长这个层面从无形资产的角度划分为3类，分别是人力资本、信息资本、组织资本。无形资产本身并不能创造价值，要想使其为企业创造价值，必须和企业选定的关键战略流程进行配合。也就是说，为企业创造价值的是平衡计分卡里的第三个层面"企业内部流程"。

如果说从学习与成长这个层面划分无形资产是"术"，那么孙正义在软银坚持的则是更接近本质的"道"——留下学习与进化的DNA。"我最重要的工作不是赚多少钱，实现今年的全年目标，而是为未来的软银设立发展的方向、组织架构观念、经营哲学，以及能够催生这些东西的DNA。"

孙正义认为，一家存活300年的"老店"，不仅需要渡过眼下的困境，还需要面对未来各种各样的挑战，而很多未来的挑战是无法预料的，唯一的办法就是留下学习和进化的DNA。

就像达尔文的进化论一样，一个成功的企业也要有随着时代变革去改变自身的能力与勇气。一个世代的改变叫作学习，譬如孙正义领导软银期间做出的各种转变，而跨世代之间的变化叫作进化，譬如下一届领导者顺应时代改变孙正义曾经实行的某些政策。

实现企业的跨世代进化，长续地创造价值，需要从动态的角度绘制战略地图：

1. 确定股东价值差距（财务层面）。比如说股东期望5年之后销售收入能够达到5亿元，但是现在只达到1亿元，距离股东的价值预期还差4亿元，这个预期差就是企业的总体目标。

2. 调整客户价值主张（客户层面）。要弥补股东价值差距，要实现4亿元销售额的增长，应对现有的客户进行分析，调整客户价值主张。

3. 确定价值提升时间表。针对几年实现多少亿元股东价值差距的目标，要确定时间表，第一年提升多少，第二年、第三年提升多少，进而将提升的时间表确定下来。

4. 确定战略主题（内部流程层面）。要找关键的流程，确定企业短期、中期、长期分别做什么事。

5. 提升战略准备度（学习和成长层面）。分析企业现有无形资产的战略准备度，具备或者不具备支撑关键流程的能力；如果不具备，找出办法来予以提升。

6. 形成行动方案。根据前面确定的战略地图以及相对应的不同目标、指标和目标值，制订一系列行动方案，配备资源，形成预算。

【孙正义说】

我死后，软银将继续存在超过300年。

我要留下学习和进化的DNA。

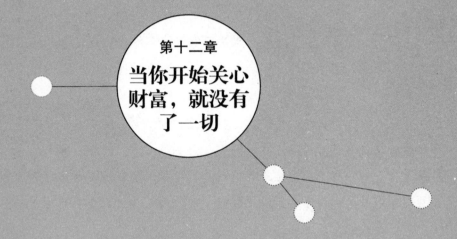

第十二章
当你开始关心
财富，就没有
了一切

我不数钱，我也没看到钱，我不知道做世界首富的感觉，钱并不是我在这个行业工作的目的。真正让我非常兴奋的是进入互联网这个革命性的行业，因为它会改变整个世界并且能够改变人们的生活方式。

不要为了金钱做事

如今，购物的快感对于我来说已经下降到零，物质不会对我产生影响。我的一天也是24小时，金钱并不能让我快乐，所以我做事也不会为钱。

我希望能够把我们全世界的800多个网络公司，做成互帮互助的一些公司。麦当劳、可口可乐、强生、美国运通等，这些公司巴菲特先生都很了解，我的焦点也是一样的，也就是说我必须了解它，也就是互联网，我了解网络，了解互联网，给21世纪的人们改善他们的生活方式。

——孙正义

2010年6月25日，孙正义在东京国际论坛举行"新30年愿景"发布会。他在演讲中的一句话让听者感到震动："我只想真正做一些造福人类的事情。"

曾经有人问孙正义，他是什么时候开始立下志向的，他说最初的动力源自于朴实、直观的刺激，看到父母的忙碌、奶奶的辛苦，他暗自下决心要努力奋斗，改变生活，让家人过上好日子。可以说，"赚大钱"是孙正义年少时最直接的拼搏动力。

在取得成功之后，一个人就不能将赚钱作为自己的人生终极追求，不是因为不需要钱，而是一旦过度关注金钱，你会发现自己容易为财富束缚，心里并不快乐，也会失去方向。

事实上孙正义在物质上的要求也的确不高。在雅虎BB业务的推介会上，孙正义说："我今天这身衣服是优衣库的Polo衫。"一瞬间就将自己与观众的距离拉近了，日本首富也穿优衣库平价衣服。

那么，企业家的真正财富究竟是什么呢?

先看看洛克菲勒是怎么做的。

洛克菲勒自小生活贫寒，甚至捡过破烂，后来靠石油投资立业致富。鼎盛时期，他的财富曾经达到美国国民财富的1/47; 20世纪初美国经济大萧条时期，联邦政府曾经向他借过钱。

可他并没有因巨富而改变自己的平民生活本色:在出差与旅行中，他总是选择坐飞机的经济舱，住一般旅馆。而与他不同的是，他的儿子选择坐头等舱，住豪华旅馆。这种反差让人奇怪，于是有人问他这是为什么。他的回答是:"因为他的父亲是个富人，而我的父亲是个穷人。"

企业家的真正财富并不是货币积累，而是精神财富!

企业家的真正财富，不是表面金钱化的货币积累，而是由其信念、道德、品质、态度、方法及其实践整合成的内在精神财富。凭借自己的精神财富，很多企业家尽管出身贫寒，可能受正规教育也不多，创业资本多数有限，但善于识别机会，敢于实践，大胆挑战，才成就了日后的事业。

真正的企业家财富更多的是精神层面的力量。个人是这样，对于社会也是这样。

孙正义比其他大部分CEO更强的地方不是智商，不是眼光，不是技术，而是他能做到不为钱干事业，不把赚钱作为软银的第一目标。即使孙正义赚了很多钱，比其他一心赚钱的人赚得多得多，但这只是一个结果，它不是孙正义追求的目标。

2014年4月4日，一家名叫伏牛堂的湖南米粉店创立，借着"北大法学硕士卖米粉"的噱头，创始人张天一成了90后创业的代表，在网络上引起了众人的追捧。

回忆起创业初的心酸，张天一说："现状看来比较风光，但不妨把镜头倒回3个月前，看看我们的苦逼岁月。我们是怎样开始的，以及我们为什么要卖米粉。

"说到卖米粉，这个话题非常沉重，因为就在半年前，我还是一个应届毕业生，面临着找工作的问题，从来没想过创业。我学金融法，工作去向很窄，苦逼的人去金融街，牛逼的人去投行。所以找工作时，我产生了两个困惑。

"第一，所有人都去投行搞金融，谁来搞实体？投行的钱投给谁？我发现现在不是项目招投资人，而是投资人追着项目跑，钱没地方去。

"第二，当所有人都去挤仅有的几个选择时，却有大把的工作没有人做。这就像我每天去伏牛堂上班，路过国贸时的一个场景：三环路上永远在堵车。国贸是个好地方，大家都想去，可更有可能的结果，不是大家都到了这个好地方，而是都堵在通往好地方的路上。"

每个人都奔着钱去的话，显然是做不好事情的。做事情可以赚钱，但初衷绝不能是简单的赚钱。张天一的创业向我们传递一个信息：一件再小的事，只要肯用心去做，做一辈子，最后都会实现你的个人价值和社会价值。

如今，伏牛堂的团队成员从原来的4个人变成了现在的14个人，场所由最早的30平方米变成了现在的180平方米。短短3个月，人员翻了将近300%，场地面积翻了将近400%。目前来看，伏牛堂是一个非常有前途的企业。

"贪字最后得个贫"，功利心太重只会让你在金钱面前迷失方向，最后一无所有。用马云的话说就是："因为我自己坚信，如果一个人脑子里就想赚钱的话，他脑子里想的是钱，眼睛里是日元、港币，讲话全是美元，没人愿意跟你这样的人做生意的。"

【孙正义说】

能像奶奶那样，不为钱做事，是我最大的幸福。

不把赚钱作为软银的第一目标。

慈善"两层论"：满手好事，量力而行

100亿捐完了，我的工资和董事长红利都在里面了。

——孙正义

孙正义认同石油家族小约翰·洛克菲勒的一句话：

我坚信，每项权利都包含着义务；每个机会都包含着责任；每份财物都包含着职责。

一般人都说白手起家的富翁比较"抠门"，但孙正义不是暴发户嘴脸，而是对慈善事业有着极大的热情。孙正义曾发布推文宣布，未来自己将不拿一分钱的工资，全部捐给受到日本福岛大地震影响的灾区，而且还给受到飓风影响的美国灾区捐款。

满手好事，抛洒出去就是一天下的好事。活着应该让别人因为我们活着而得到益处。学会分享、给予和付出，我们会感受到舍己为人、不求任何回报的快乐和满足。这样的幸福犹如香水，不可能泼向别人而自己却不沾几滴。

但是慈善也极容易走入"道德绑架"的误区。"他都这么有钱了，才捐这一点"，"我比他捐得多，这样有面子"，这些话都是我们耳畔常听到的。慈善经过媒体渲染后，会染上作秀的色彩，捐的方式、数目、早晚等，都是人们口中臧否捐款者道德水准的谈资。

孙正义不赞同这样的做法。

在他看来，慈善分为两层，第一层属于个人层。做慈善是一件很私人，甚至很隐私的事。虽然孙正义有时候会公布自己做慈善的消息，但是不具名的慈善无疑更多。所以说，慈善是心意，而不是求名声的工具。此外，捐得多与少都是平等的，不能说捐得多的人就道德高尚。所以，慈善归根结底是一件个人量力而行的人道主义行为。

下面这个故事可以很好地说明这一点：

一年春天，小男孩的母亲在院子里种了一株菊花。3年后的秋天，小小的院子变成了一个菊花园，金黄金黄的花朵簇拥着次第开放，整个小山村都散发着浓浓的芳香。

母亲整日敞着院门，守在门边看见过往的乡邻就热情地招呼或邀他们进来坐坐，以便让满院的菊花吸引来更多的目光。于是，小小的山村仿佛也在秋天美丽起来，母亲的脸上闪烁着金色的微笑。

终于，有人开口了，向母亲要几株菊花种在自家院子里，母亲答应了。她亲自动手挑拣开得最鲜、枝叶最粗的几株，挖出根须送到了别人家里。消息很快传开，前来要花的人接连不断。在母亲眼里，这些人一个比一个知心，一个比一个亲近，都要给。不多日，院里的菊花就被送得一干二净。

没有了菊花，院子里就如同没有了阳光一样落寞。

秋天最后的一个黄昏，儿子陪母亲在院子里散步，突然就想念起满院的菊香来。母亲轻轻拉过儿子的手，说："这样多好，3年后一村子的菊香！"

一村菊香！儿子不由心头一热，重新打量起母亲来，她的白发增添了许多，而脸上的皱纹宛若一瓣瓣菊花生动感人。

有了美好和幸福，不是独自一个人享受，而是和大家共享，把美好和幸福分送给每一个人，直至大家人人都有一份。不要怕最后自己变得一无所有，其实这种一无所有才是真正的拥有。

有时候，我们只是给予了别人一颗善心，却能够得到对方感恩的回馈。爱心没有早晚。拥有它的人，既赠予他人幸福，又让自己从容而无悔。

慈善的第二层属于企业层。企业形式的慈善不是一个空的概念，也不单纯局限于捐款、捐物，而是与企业的价值观、用人机制、商业模式等息息相关。做企业赚钱，许多人都这么想，但这不是最重要的目的。让员工快乐地工作、成长，让用户得到满意的服务，让社会感觉到企业存在的价值，这才是企业责任所在，至于赚钱和社会回报，那是水到渠成的事。

对企业来说，做慈善一定要有纯洁的动机，要真心。那么，企业家要做好慈善，除了要有纯洁动机外，还需要注意什么呢？

1. 平等待人，尊重他人。企业家最忌讳的是在捐赠的时候，践踏受赠者的人格尊严。企业家在捐赠的时候，要以平等的姿态面对受赠者。

2. 讲求实效。很多企业在捐赠后就听之任之，其实这也是一种不负责任的行为。正确的做法是，在捐赠后，要定期回访，了解赠款、设备等的使用情况，保证每一分钱都落到实处。

【孙正义说】

我接受冰桶挑战。

捐款是世界上最普通的善意。

事业之外的婚姻经营课

优美，我想我能养活你。

——孙正义

虽然在现实生活中，有一些事业、爱情双丰收的"人生大赢家"，但其实在更多人眼中，事业和爱情就像鱼和熊掌，不可兼得。因为一旦一方将大量时间用在事业上，另一半很可能就会因为缺少陪伴之类的原因，逐渐和对方产生生疏感，严重时甚至会导致感情破裂，走向婚姻的尽头。

在外界看来，孙正义是个经营企业的高手，这是不争的事实，其实他还是个经营爱情和婚姻的高手。他和妻子大野优美自17岁在美国认识，21岁在大学里结婚，婚后两人一起经历过居无定所的苦日子，到如今成为"日本最富家庭"，孙正义始终和优美相濡以沫，羡煞旁人。

孙正义平时忙于事业，几乎没有时间陪伴妻子，到底是如何做到与妻子相识相爱40年如一日？对此，孙正义给出的答案是"经营"。美好的爱情从来都需要双方的努力经营，不会天然地存在长久的美好爱情。

美国作家彼得森说过："幸福婚姻并不是自然而然就有的，它需要努力去创造。"同样，中国台湾作家柏杨也有句经典的话："妻子不贞，丈夫有一半责任。丈夫不贞，太太也有一半责任。如果把对方逼得落荒而逃，责任就更大。"从两个人的话语中，我们能够感悟到：一段幸福的婚姻，是两个人共同经营的结果；一段不幸的婚姻，是两个人亲手埋葬的结果。在对婚姻的忠贞方面，双方都有一定的责任去维护两个人的感情。

婚姻作为保护两个人感情的合法手段，它是一种生活感受，一种生活方式。双方拥有良好的心态，婚姻才能幸福。有智慧、健康心态的人能够营造幸福的婚姻，而幸福的婚姻同样完成着对人的塑造。有人说婚姻能使一个人开始新的人生，也有人说，一个人生命中最重要的莫过于婚姻了。甜蜜与忧伤、忍耐与欣慰、获得与失去，往往在婚姻中血肉相连，互生互长，无法割裂。

经营爱情的要义是什么？在孙正义看来，就是宽容和妥协。

当初孙正义和优美刚刚在一起时，孙正义很会照顾同样身在异乡的优美，而当孙正义花费3个星期冲刺美国大学考试时，优美又反过来照顾孙正义。

当然，二人也有不和谐的时候，也发生过一些小插曲。当时孙正义和优美约定在1978年9月23日那一天结婚，但是孙正义因为忙于项目，忘记了去法院登记的事情。结果当孙正义反应过来的时候，已经是傍晚时分。而就在孙正义见到等了一天的优美，准备挨骂的时候，优美却只是让他下次一定要记住。在婚后的生活中，孙正义完全被软银拖住，但是优美依然无怨无悔，一心操持好家庭，这也是孙正义事业能够如此成功的一大原因。

每个人由于出身、成长经历、教育程度等方面的不同，自然会形成不同的性格。就像树上没有两片相同的树叶一样，世界上也没有完全相同的人。那么，面对与自己冲突的地方，一定要懂得包容，否则即使能够强行忍耐一段时间，也总会有爆发的一天。

如何经营一段美满的婚姻，分解开来看，有这么几点值得关注：

1. 婚姻的幸福与不幸，是依靠两个人来维系，而不是单方的付出。当我们进入婚姻，就应该悉心呵护爱与梦的花果，这是每个人一生的功课。在做这项功课时，我们应该学会彼此欣赏、彼此尊重、彼此疼爱、彼此理解、彼此人格独立。

2. 幸福的婚姻缘自相互欣赏。努力去欣赏对方，同时，努力使自己被对方欣赏。爱情的真正魅力在于两情相悦。欣赏是对对方的一种承认、肯定和鼓励，必然会使人产生一种满足感，所谓的了解，最大的意义就是肯定、承认、赞美和欣赏。

3. 幸福的婚姻缘自相互尊重。不仅要尊重对方，更要紧的是爱屋及乌，尊重对方的亲朋好友。

4. 幸福的婚姻缘自相互疼爱。无论是男人还是女人，都兼有疼人和被人疼两种需要。夫妻就应该像一双筷子，生活中的酸、甜、苦、辣、咸一起品尝。他（她）下班了，你给他端上一杯凉白开；你躺在沙发上睡着了，他（她）能轻轻为你盖上一床被子……

5. 幸福的婚姻缘自相互理解。当你遇到挫折时，他（她）不说一句有损你尊严的话；当你意气用事时，他（她）娓娓解说事理给你听；当你心情不好时，他（她）绝不和你一般见识；你若开颜他（她）先笑，你若烦恼他（她）先忧，他（她）的欢喜会告诉你，但他（她）的忧愁不会轻易地向你表露；即使你们远隔千山万水，他（她）也深信你。

6. 幸福的婚姻缘自人格独立。婚姻是一对一的自由，一对一的民主。不要偏执地认为"你是我的"，那样就会使自己的爱巢变成囚禁对方的监狱。不要改变自己，更不要试图去改变对方，而应该各自把自己调整到一个适度的空间，既要相守，也要让彼此独处。

【孙正义说】

遇到优美以前，我从没有想过结婚这件事。

我工作之余最大的休闲方式就是和家人待在一起。

企业存在的三种价值

我回顾了自己开创事业的初衷，以及自己想做的是什么。结果是"因为想看到大家的笑脸"。女儿的笑脸、家人的笑脸、职工们的笑脸，最想看到的是顾客们的笑脸。在我所不了解的某个偏僻地方，脸上沾满灰尘的小孩正笑着仰望天空，自言自语地说着"谢谢"，虽然不知道是对谁说。如果我能做成这样的事情，那该多好啊。结论还是"自我满足"。华丽的语言，难懂的口号都不需要。可以让我变得幸福的路就一条，那就是掀起数字信息革命，让更多的人分享智慧和知识。就像今天的推特一样。

——孙正义

为什么自己凭双手挣钱，最后有责任承担起更多商业外的事务，譬如创造更多的就业岗位，多招聘一些暂时还没有工作经验的大学生，等等。

面对这样的问题，孙正义的看法是："企业从来就不是企业家个人的，而是属于社会的。企业家所获得的一切，包括财富、地位、名声等，都来自社会，所以有回馈社会的责任。"

孙正义对于一些商业性不是那么强的项目往往有很大的兴趣，譬如旨在降低电话费的"自焚事件"、"White Plan"等。很多事情都是别的企业家所不愿做的或者吃力不讨好的，而孙正义一再大包大揽地做，不太像一个合格的"唯利是图"的商人。这也是为什么孙正义在日本商界有"疯子"和"傻子"之称。

2011年，孙正义又做了一回"疯子"——他要进军新能源行业，最终实现消除日本的核电站这一目的。这种话一出口，就遭到外界的讥笑，因为"消除核电站"这一目标在日本是不可能实现的。众所周知，日本是一个自然资源极度匮乏的国家，离开核电，这个国家将会陷入瘫痪。但是孙正义不依不饶，下决心一定要将核电从人们的生活中逐渐分离，让日本民众用上最清洁、便宜的新能源。

当民众问起孙正义为什么要这样做的时候，他的回答是"福岛核危机"。发生于2011年3月11日的福岛核泄漏事件无疑是日本人的伤痛，但民众在伤痛之余很少想到要在未来废除核电站，孙正义作为一家上市公司的负责人，竟然这样"冒冒失失"地做出决定，实在是不可思议。

不过就在人们将信将疑之际，孙正义这个"行动派"已经开始动手了。

孙正义在福岛核危机爆发后组建了软银的自然能源财团。利用财团的雄厚实力，孙正义计划投资数万亿美元在日本建设10座大型太阳能发电站。孙正义提出与政府合作的一揽子计划：日本政府将废置的54万公顷农田重新规划，并划拨给软银作为建设发电站的用地，日本3/4以上的地方政府力挺这一计划，方式就是优先购买太阳能发电站的电力，而且希望与10家大型公共事业单位签订用电条约。

2014年6月16日，软银集团旗下专门从事可再生能源开发工作的SoftBankEnergy（简称SBEnergy）公司宣布：SBEnergy将在日本富山县富山市建造一座太阳能发电站。根据项目规划书，这座太阳能发电站的设计发电量为2800千瓦时，预计占地面积为4.92万平方米。以2800千瓦时的装机容量计算，这家发电站将每年发电超过270万千瓦。

除了这座太阳能发电站外，孙正义在2014年9月公布了一项计划，软银集团旗下的SBEnergy公司将在日本广岛建设一座5.8兆瓦太阳能发电站。这座巨型发电站将占地超过10.1万平方米，同时完善周边配套设施，如医院、民居、商店等，打造一体化的"软银广岛SeraTown太阳能园区"。发电站计划2017年2月正式投产，可以提供至少1700户四口之家的一年家庭用电。

企业存在即是一种社会需要，孙正义认为企业为社会创造的价值主要体现在3个方面：财富价值、物质价值、精神价值。

论及企业的财富价值，首先就是企业对国家缴纳的税收；其次，企业的财富价值还体现在创造就业上，企业招进员工，员工为公司创造价值，企业对员工给予报酬，这样有助于稳定社会环境。

企业家最稀缺的资源应该是把所有的钱用于扩大自己的经营，增加就业机会。如果企业家到了六七十岁，也像李嘉诚、巴菲特那样把自己的钱捐出去，这是一种回报社会的方式，但是从另一角度来看，创造优秀的服务、优秀的产品，创造更多的就业机会，让更多的人有工作，在社会上生存，同样是至关重要的。

企业的第二种价值是物质价值，即企业生产的产品。

企业能创造的最高价值便是精神价值。精神价值也被称作企业文化，存在于社会生产的每个环节，是企业的精髓。

财富价值是外在体现，物质价值是产品，也是实现其他价值的手段，而精神价值才是企业家的终极追求。

【孙正义说】

华丽的语言，难懂的口号都不需要。

我只想真心地为这个国家做点事情。